LINDA SAUVÉ

Organise-moi ça!

Bon ménage intérieur!

Les Éditions
Coup d'oeil

Graphisme :
Marjolaine Pageau

Révision, correction :
Corinne Danheux
Sarah Bigourdan

Crédits photographiques :
Shutterstock

Dépôt légal : 2e trimestre 2010
Bibliothèque et Archives nationales du Québec
Bibliothèque nationale du Canada

Les Éditions Goélette bénéficient du soutien financier de la SODEC pour son programme d'aide à l'édition et à la promotion.

Nous remercions le gouvernement du Québec de l'aide financière accordée par l'entremise du Programme de crédit d'impôt pour l'édition de livres, administré par la SODEC.

Imprimé au Canada

ISBN : 978-2-89638-742-7

Remerciements

Merci à Cyndi Seidler, directrice de l'école des organisateurs professionnels H.G. Training Academy de Californie, qui m'a poussée à penser à des solutions créatives en organisation.

Merci à Pierre Major, mon premier lecteur, qui a su communiquer son enthousiasme dès la première version. Merci aussi pour les belles conversations que certains passages ont suscitées.

Merci à JPdL Montréal inc., organisateur de congrès, qui m'a donné l'opportunité de tester mes connaissances en organisation.

Merci à Claude Chouinard, Michel Thériault et Maryse Guyot pour toutes leurs suggestions, leurs idées brillantes et leur appui.

Merci à Fred Puks, qui m'a donné un regain de foi dans ce projet alors que je m'apprêtais à baisser les bras.

Merci à Alain Delorme et à toute l'équipe des Éditions Goélette pour leur énergie et leur focus.

Témoignages

« Rédigé par une jeune femme qui connaît tous les secrets d'une vie bien structurée, *Organise-moi ça !* est un must ! Quiconque a besoin d'un coup de pouce pour mettre de l'ordre dans sa vie, comme dans sa tête, y trouvera des conseils avisés. »

Louise Pilon, chronique Touche-à-tout, Magazine 7 jours

« C'est le bordel total chez votre copine ? Dans ses classeurs, ses placards, ses finances, sa vie ? Offrez-lui le livre *Organise-moi ça !*... Résultats rapides et tangibles assurés. »

Myriam Gagnon, Elle-Québec

« Regorgeant de trucs simples et efficaces pour mieux s'organiser, mieux gérer son temps, ses papiers, ses garde-robes, sa cuisine, ses dépenses... cet ouvrage est un must ! »

Véronique Tremblay, Magazine Vie-Santé

« Votre livre m'aide énormément à m'organiser ; c'est simple et facile ! »

D. St-Louis

« ... ce que j'ai le plus assimilé, c'est que je n'achète plus de choses qui ne me seront pas utiles. »

D. Claveau

Table des matières

Introduction

Malgré vos efforts, vous n'arrivez pas à garder votre maison ou votre espace de travail organisé. À bout de nerfs, vous essayez une nouvelle technique mais ne pouvez la maintenir car elle ne vous ressemble pas. Vous redevenez vite débordé car vous n'avez pas de plan pour maintenir l'ordre de vos affaires. C'est toujours à recommencer! Vous êtes en état de crise. Ce sentiment de stress et de perte de contrôle est constant pour une grande majorité d'entre vous qui manquez d'organisation dans votre environnement.

Le « salaire » que vous gagnez vaut-il ce qu'il vous coûte en anxiété, en stress, en frustration, en rage, en rudesse, en fatigue pour l'obtenir? Au cours des prochains chapitres, je vais tenter de trouver un « salaire » digne de votre valeur. Une rétribution qui ressemble plutôt à ceci: sentiment de calme, d'allégement, de contrôle; plus d'énergie, plus de temps libre, une meilleure disposition à la communication; plus d'argent dans vos poches pour avoir le temps de profiter de vos temps libres suite à votre réorganisation.

Pour moi, le temps ce n'est pas de l'argent comme certains spécialistes de la finance nous en rebattent les oreilles depuis les années quatre-vingts. Non, mon temps c'est ma vie. Dans une réunion, un collègue me posait la question: « Que proposes-tu comme moyens d'action? » Je lui ai brossé un tableau sommaire des services que j'offrais et j'ai terminé en lui disant: « Le temps, ce n'est pas de l'argent, c'est ta vie. » Et vlan! Voici la phrase clé qui m'amena à écrire ce livre et aussi à réaliser l'urgence de l'achever.

Je vous présente mes solutions pour mieux vous organiser et profiter de ce que la vie offre. Mieux s'organiser s'apprend comme on apprend à écrire. Le secret est dans la pratique et le maintien des acquis suite à la mise en place d'un plan. S'organiser est un choix nécessaire. Il implique que l'on soit décidé, que l'on soit prêt à changer les choses et que l'on connaisse les raisons de notre situation devenue insoutenable afin de désengager le frein qui empêche un changement. On observe que moins il y a de résistance, plus les changements se font en douceur suivant un processus valorisant. Et le changement est une des seules choses dont on soit sûr. Ne pas planifier le changement revient à ne planifier que des problèmes. Mais, c'est tellement plus facile de ne rien modifier. Peut-être, mais nos zones grises et nos problèmes d'organisation restent « bien rangés » jusqu'au jour où notre vie ne nous satisfait plus. Nous devons agir ou, plutôt, réagir car nous sommes alors devenus le produit de notre conditionnement.

Pourquoi résistons-nous tant au changement même si nous avons l'impression que celui-ci pourrait nous être bénéfique ? Peut-être parce que nous ressentons de l'impuissance, de la fatalité, du désespoir ou encore par manque d'information ou par peur de l'inconfort initial ? Le météorologue Edward Lorenz peut nous persuader des avantages. Il a décrit le phénomène de « l'effet papillon » alors qu'il tentait d'analyser les effets d'un petit changement sur la météo globale. Un battement d'ailes de papillon au Brésil peut créer une tornade au Texas. Que provoquera « votre » battement d'ailes dans votre environnement immédiat ?

Bonne nouvelle ! Vous êtes déjà en mode de changement. Vous n'avez pas encore analysé chaque angle ni pondéré chaque élément mais vous êtes sur la bonne voie. N'oubliez pas, les choses ne changent pas, c'est nous qui changeons.

À qui s'adresse ce livre ?

- À ceux qui se disent : « Je n'y arriverai pas ! »
- À ceux qui doivent se serrer la ceinture tous les mois.
- À ceux qui n'ont pas l'impression d'être en contrôle.
- À ceux qui sont dépassés par le désordre autour d'eux.
- À ceux qui ont peur de jeter quelque chose qui pourrait servir plus tard.

À tous ceux qui :

- désirent s'accorder plus de temps pour profiter de leur vie ;
- désirent réaliser des objectifs à court, à moyen et à long terme ;
- désirent modifier des comportements ;
- désirent dépenser mieux leur argent ;
- désirent se faciliter certaines corvées ;
- désirent des solutions simples d'organisation au travail et à la maison ;
- désirent projeter une meilleure image face à leur entourage ;
- en ont ras-le-bol de chercher leurs clés tous les jours ;
- époussettent des objets qu'ils n'utilisent pas ;
- payent pour ranger des choses qu'ils ne se souviennent même pas avoir achetées.

Si vous lisez ce livre passivement, vous tricherez et ne profiterez pas des bénéfices d'une meilleure gestion de vos biens, de votre argent et des découvertes possibles. Prenez-le comme un jeu et laissez-vous prendre par lui. Agissez comme s'il était impossible de faillir.

Comment retirer le maximum de ce livre ?

- Gardez un surligneur à portée de la main afin de souligner les trucs les plus utiles pour vous.
- Utilisez les pages lignées à la fin de chaque chapitre pour écrire vos idées ou ayez une tablette de papier et un stylo pour réaliser les exercices suggérés.
- Photocopiez les outils utiles au quotidien comme le contrat d'engagement à l'action, la liste d'emplettes, l'affiche « Ne pas déranger », le calendrier des achats selon les saisons ainsi que le calendrier aide-mémoire, pour ne nommer que ceux-là.

- Référez-vous aux sujets qui vous intéressent. Je vous suggère toutefois de lire l'introduction et le premier chapitre pour acquérir une base sur les fondements de l'organisation.

- Essayez un truc à la fois et voyez les effets positifs après 21 jours d'essai continu. (On dit que ça prend 21 jours pour adopter une nouvelle habitude et 30 jours pour qu'elle devienne un style de vie).

- Gardez ce livre à portée de la main pour une référence facile autant à la maison qu'au bureau.

- Laissez-vous inspirer par les idées de ce livre. Laissez-les s'imprégner en vous.

Dans quel état est votre espace vital ?

Regardez autour de vous, ouvrez vos tiroirs, vos penderies, allez faire un tour dans votre garage, votre sous-sol, votre cabanon ou vos autres espaces de rangement. Est-ce que les portes ferment encore ? Voyez-vous la couleur de votre surface de travail ? Y a-t-il encore de l'espace sous votre lit ? Que toutes ces choses empilées et entassées servent ou pas, elles vous coûtent de l'argent, de l'espace, de votre précieux temps pour les entretenir et, de surcroît, une fatigue physique et visuelle.

L'encombrement et le bric-à-brac créent des blocages émotifs, physiques et mentaux et empêchent la prospérité, la santé et l'argent de prendre leur place dans votre vie. De plus, certains jouets d'adultes que vous achetez remplissent un vide, un manque de communication, d'amour, de compréhension ou de temps libre. Barbara Sher, auteur du livre *I could do anything if only I knew what it was*, nous éclaire en disant : « ... tant que vous ne donnerez pas à votre âme ce qu'elle veut, vous n'aurez jamais assez de tous ces objets inutiles, votre âme ne vous donnera aucun repos. »

Denise Sirois nous donne le ton dans son article « Où passe notre énergie » publié dans *Coup de Pouce* en juin 1998, en disant « ... s'il est important pour nous d'être organisée et qu'on vit ou travaille dans un contexte qui ne l'est pas, on risque de se retrouver avec des problèmes de santé parce qu'on manque d'emprise sur la situation. » J'explique. Si, pour être en équilibre, notre corps et notre esprit demandent que chaque chose ait sa place et que l'on travaille avec des gens qui fonctionnent apparemment bien dans le désordre, nous serons en ajustement constant pour nous soustraire à leur façon d'agir. Ce stress se prolonge parfois jusqu'en soirée, causant parfois une mauvaise digestion, de la constipation, des maux de tête chroniques, etc. Nous verrons dans le premier chapitre ce que cache le désordre et comment mettre en place un plan d'action.

On ne devrait garder que ce qui est utile et qui nous apporte du plaisir dans notre vie. Par exemple, s'il n'y a plus d'espace dans votre esprit à cause de soucis, du travail accru ou du stress, vous devez trier le bon du mauvais, avant de continuer. Il en va de même pour vos placards. S'ils ne peuvent plus en prendre, vous devez juger ce qui est utile et profitable à votre vie actuelle. J'expliquerai plus loin comment procéder à un tri efficace.

C'est la même chose lors de l'achat d'un nouvel article ; vous devez vous efforcer d'en donner ou jeter un semblable en retour sinon le débordement vous guettera encore.

La réflexion issue de cette technique est simple : si vos biens ne vous apportent plus ou pas de plaisir régulièrement, laissez-les aller à d'autres qui en retireront du plaisir. Vous vous sentirez mieux, je vous le garantis. Plus vous serez libéré des choses qui encombrent votre vue, votre vie et votre espace, plus vous aurez de l'énergie et d'espace pour que la nouveauté (entendons ici vos projets et vos désirs) entre dans votre vie.

Toutefois, avant de se libérer, on doit nécessairement effectuer un bilan, évaluer sa situation. Lâcher prise.

Voyons maintenant les coûts de votre encombrement

Le logement que vous payez, mois après mois, sert à abriter tous les objets que vous possédez. L'entreposage du bric-à-brac qui n'est jamais utilisé vous coûte une partie de votre loyer ou hypothèque. En inspectant votre garage, votre sous-sol, votre chambre à débarras, votre remise et vos tiroirs, calculez combien d'espace cet encombrement requiert en pieds carrés ? Cinq pieds carrés ? Vingt pieds carrés ? Et ceci n'est que pour les équipements de sports que vous ne pratiquez plus. Visualisez le reste de vos ramasse-poussière : par exemple, toutes ces paires de souliers que vous ne portez jamais et qui utilisent trois pieds carrés. Selon certains experts de la mode, nous portons seulement 25 à 40 % des vêtements et accessoires que nous possédons. Et que dire de tous ces papiers, reçus, travaux scolaires vieux de dix ans ? À tous les mois, vous payez pour les entreposer.

Combien d'espace votre bric-à-brac inutile accapare-t-il ? 15 %, 25 %, 35 % de votre demeure ? Si votre maison a une dimension de 1000 pieds carrés et que votre encombrement (après son calcul avec un ruban à mesurer) compte 25 pieds carrés, celui-ci occupe donc 2,5 % de votre espace. Calculez la proportion de vos frais mensuels qui sert uniquement à payer votre encombrement. Attention, ça va faire mal ! Hypothèse : si votre loyer ou hypothèque est de 700 $ par mois et que votre désordre domine 20 % de l'espace total, il vous coûte 140 $ par mois (1680 $ par année). Je comprends que vous soyez en état de choc. Ce montant équivaut-il à la valeur de vos vacances annuelles, à des réparations de toutes sortes, à un projet mis en veilleuse ?

Tout compte fait, avant de déménager dans des espaces plus grands, débarrassez-vous de tous les objets inutiles à votre style de vie actuel. Il se pourrait même que vous ayez envie de déménager pour plus petit. Qui sait, l'obligation de déménager est peut-être inutile ? Pensez à tout ce stress, ces tourments et ces frais qui pourraient être ainsi évités.

Le premier chapitre vous guidera dans votre apprentissage de l'organisation afin de retrouver ordre, efficacité et calme dans vos espaces si chèrement payés.

Chapitre 1
Les bases de l'organisation

C'est parti, la balle est en jeu. Vous passez à l'action. Félicitations ! Retenez bien la date d'aujourd'hui car un vent de changement s'amorce. Installez-vous dans un lieu où vous pourrez réfléchir. Ayez du papier à proximité pour noter vos idées.

Dans un premier temps, considérons le propre (sans jeu de mots) de la désorganisation de l'espace.

Comment en arrive-t-on à ce bric-à-brac, ce trop-plein de choses et de bidules ?

On achète par

Nécessité : nourriture, vêtements, outils de travail, etc.

Peur : de manquer d'un produit.

Oubli : on ne se souvient plus que l'on a déjà la chose en question.

Compulsion : l'argent vous brûle entre les doigts. Tout vous attire.

Pour faire comme les autres : famille, amis, voisins, collègues, etc.

L'effet d'entraînement de la publicité qui crée des besoins. Ce samedi, venez gratter et épargnez. Qui sait ? Vous pourriez gagner tous vos achats !!!

- **Ennui :** Ah ! Il pleut ! On va aller au centre d'achats.

- **Récompense :** pour fêter un bon coup, pour se valoriser, pour compenser le manque d'amour, le manque de temps que l'on passe avec nos enfants, notre partenaire de vie, etc.

Les exutoires

Certains exutoires coûtent très cher et mettent bien des gens dans des positions financières délicates. Voici les plus courants et les questions qu'on pourrait se poser avant l'acte d'achat.

La nourriture à l'excès : quelle émotion tentez-vous d'assouvir, d'apaiser ou de contrôler en achetant autant de nourriture ?

Les vitamines et suppléments alimentaires : vous apportent-ils tous les bénéfices physiques espérés ?

Les souliers : portez-vous vraiment toutes les paires de souliers que vous possédez ou n'en mettez-vous que quelques-unes ? Quel besoin tentez-vous de soulager lorsque vous vous dirigez vers le magasin de souliers ?

Les produits de beauté : les promesses des fabricants de crèmes ne sont souvent que du rêve. Je ne vous apprends rien. Quel baume vous procure ce nouveau pot ?

Les livres : friand de savoir ou de culture générale ! Partagez-vous toute cette connaissance ?

Les magasins-entrepôts : tout y est. Les tentations sont exponentielles. Est-ce un remède ?

Les accros des spéciaux : mais c'était en spécial ! Vous n'aurez jamais assez de ce dont vous n'avez pas besoin. C'est un puits sans fond.

Les accrocs de la mode : vous vous engagez sur un terrain très coûteux. Quelle énergie allez-vous chercher dans ces vêtements ? Imaginez que cette énergie est déjà en vous, vêtements neufs ou pas.

Définissons maintenant ce qu'est un bric-à-brac

Ce sont des objets non classés, empilés ou éparpillés qui freinent l'efficacité ou les déplacements. C'est une accumulation de choses (papiers, bibelots, accessoires, meubles, vêtements, etc.) inutiles à l'activité ou à la situation en cours ou à l'espace dans lequel elles se trouvent. Ce sont des objets qui n'ont pas de « maison » ou de place définie ou encore qui n'ont plus leur place dans notre vie.

Que dire du désordre ? C'est l'abondance d'objets déjà triés et pertinents à votre vie qui ne sont toutefois pas remis à leur place prédéfinie, leur « maison », après leur utilisation.

Qu'est-ce que la « maison » permanente d'un objet ?

C'est un lieu déterminé et permanent de résidence. Chaque chose que vous avez décidé de garder devra avoir une place assignée. Vous déciderez de la pièce où il figurera, de la zone de cette pièce où il logera et dans quel tiroir ou contenant il aura sa résidence permanente.

Comment choisir une « maison » pour chaque objet ?

Élément logique : un manteau n'ira pas dans la salle de bains.

Élément matériel : ce qui se ressemble s'assemble. Ne pas mélanger les catégories, par exemple les robes et les pantalons.

Élément accessibilité/commodité : ce qui est fréquemment utilisé devra être plus accessible qu'un accessoire utilisé une fois l'an.

Élément compatible : il est sage de ranger les objets dans des contenants convenables et qui ne gaspillent pas d'espace. Il sera souhaitable que les contenants soient choisis en fonction de ce qu'ils contiendront. Par exemple, si vous donnez la moitié de vos livres, il sera inutile de garder la bibliothèque maintenant libre sinon vous courez la chance de retourner en peu de temps à une situation de bric-à-brac, chose que vous voulez éviter.

Souvenez-vous

L'objectif est de s'entourer seulement et uniquement d'objets, meubles, vêtements, etc., qui sont utiles dans votre vie actuelle et vous procurent du plaisir.

Lors de l'assignation d'une « maison » à un objet, il sera primordial d'informer les autres membres de la famille de l'emplacement permanent des objets ou encore de prendre la décision en accord avec les autres occupants de la maison afin de s'entendre sur son lieu permanent. Il sera prudent de prendre en note la « maison » des objets problématiques tels que : clés, courrier/factures, caméra, parapluie ou tout autre objet qui entre et sort fréquemment de la maison.

Les fondements de l'organisation

1. Identifier le(s) problème(s).

2. Considérer toutes les options.

3. Reconnaître ses limites.

4. Élaborer un plan d'action.

5. Se mettre en action maintenant et maintenir les résultats obtenus.

1. Identifier le(s) problème(s)

Un problème bien défini est à moitié résolu. Faisons le point sur ce qui vous a amené à cette situation puisqu'une multitude de raisons peuvent nous entraîner à un constat de cul-de-sac face à notre environnement. Analysons-les.

Circonstances extérieures :

Un mariage/une cohabitation : emménager avec un partenaire peut occasionner un problème de clonage de tous les objets du quotidien. Le temps peut nous manquer pour tout départager et pour trier l'essentiel de l'inutile.

Un décès : la perte d'un être cher peut couper toute envie d'abandonner des biens qui lui appartenaient. En gardant ses objets, on a l'impression de le retenir avec nous.

Un héritage : le courage peut nous manquer de donner ou de vendre un objet reçu en héritage ou en cadeau, même lorsqu'il ne nous convient pas.

Une charge de travail trop grande : vous manquez tout simplement de temps pour vous acquitter du ménage de fond car vous occuper du ménage de surface est déjà un tour de force.

Un manque d'aide : vous avez besoin d'aide pour réparer, déménager, ranger ou jeter certains objets. Vous ne savez pas par où commencer. Vous êtes l'otage de votre environnement.

Circonstances intérieures :

Le perfectionnisme : votre objectif est d'être parfait en toute chose mais vous n'y arrivez pas.

Le manque d'intérêt pour changer la situation : la situation est au-delà de vos capacités.

Le visuel : si vous ne voyez pas l'objet, vous ne savez pas où il se trouve. Trier et classer est une épreuve qui vous met en état de panique. Vous savez que vous ne pourrez maintenir le nouvel ordre établi.

Qu'est-ce qui ne va pas ?

Quels avantages retirez-vous de votre bric-à-brac ou de votre désordre ? Aucun ? Impossible. S'il n'y avait aucun avantage, vous ne le maintiendriez pas depuis si longtemps. Dès que l'on n'obtient plus d'avantages d'une activité, on cesse de la pratiquer.

Votre désordre vous sert et vous protège de quoi ?
Il est primordial de l'identifier.

____

____

____

____

____

____

- Il y a un manque de maintien ou de suivi de votre système d'organisation actuel. Vous avez en place un système qui ne fonctionne plus car vos conditions de vie ont changé (mariage, décès, etc.).
- Il n'y a plus ou pas de « maison » pour chaque objet.
- Certains objets ont besoin de réparation pour être opérationnels.

Quels résultats voulez-vous ?
Comment aimeriez-vous vous sentir lorsque ce bric-à-brac sera chose du passé ?

____

____

____

____

____

____

- Avoir plus de temps pour accomplir ce que vous voulez ou pour vous reposer.

- Jouir de plus de confort pour profiter de votre espace. Pouvoir inviter des amis à l'improviste.

- Éprouver plus de satisfaction pour connaître ce qu'est un sentiment de légèreté et de calme face au visuel devant soi.

Et quoi encore ? Efforcez-vous de penser en termes d'avantages plutôt qu'en termes d'inconvénients. Écrivez sans tarder.

> Afficher cette liste d'avantages bien en vue lorsque vous passerez à l'action. Elle sera une source de motivation puissante et un soutien nécessaire lorsque vous voudrez retourner à vos anciennes habitudes.

2. Considérer toutes les options

Quels objets devez-vous garder ? Je répète : lesquels devez-vous absolument garder ?

Vos nouveaux mots clés sont maintenant : classer, recycler, réparer, déléguer, donner, vendre ou jeter et ce, pour tout objet, article de sport, vêtement, meuble, électroménager, outil de jardinage, article de cuisine, papier légal, journal, revue, facture, plante, etc., que vous possédez.

Voyons-les plus en détail.

Classer : classer les papiers par catégories. Par exemple, toutes les factures de cartes de crédit payées iront par ordre de date de facturation dans une chemise, classement numérique de 1 à 31 pour les affaires du mois en cours, par sujets pour les sujets comme les voyages, les assurances, l'informatique, les REER ou les impôts.

Recycler : tout dépend de la nature de l'objet. Il faut souvent utiliser son imagination. Par exemple, des vieux bas peuvent servir à cirer les chaussures et bottes de cuir, les bas de nylon propres mais déchirés peuvent servir de remplissage aux coussins, un rideau de douche désuet peut servir de protecteur de plancher lorsque vous avez des travaux de peinture à effectuer, un tableau dont le dessin n'est plus à votre goût peut être recyclé en tableau d'ardoise pour les messages en y appliquant une peinture pour ardoise disponible chez les détaillants de peinture, une chaise dont le dossier est brisé peut devenir une table d'appoint ou un support de pots à fleurs pour l'extérieur. Enfin, vous voyez l'idée.

Réparer: réparer les bords de pantalon, les talons de chaussures, les éléments chauffants du four, la vitre brisée, coudre les boutons manquants, remplacer la pile de montre qui n'a plus d'énergie, s'occuper des pneus à gonfler ou à changer, du nettoyage de vos grands tapis chez les spécialistes équipés pour cela. Enfin, mettre en bon état tout ce que vous voulez garder afin de l'utiliser à nouveau au jour le jour.

Donner: offrir des dons aux organismes de bienfaisance, aux organismes de charité, aux friperies de votre quartier. Référez-vous à la liste des organismes qui accueillent vos dons incluse à la fin de ce chapitre. Les centres de personnes âgées peuvent avoir besoin de meubles ou de chaises pour leurs salons communautaires, n'hésitez pas à communiquer avec eux. Anecdote : j'ai déposé en face de chez moi une paire de béquilles qui ne me servaient plus avec une affiche « à donner ». Eh bien, en moins de quinze minutes, elles avaient disparu.

Vendre: un objet ne vous est plus utile mais est en bon état et possède une valeur monétaire, si petite soit elle. Avant de vendre des objets de collection, vérifiez sur www.ebay.com ou d'autres sites Web spécialisés dans les encans pour connaître la valeur de vos collections.

Jeter: le matelas qui vous empêche de bien dormir, l'oreiller qui ne rebondit plus lorsque vous le pliez sur la longueur, les jeux de société incomplets, les souliers qui ont perdu leur forme ou qui vous font mal aux pieds, tout objet brisé et irréparable.

3. Reconnaître ses limites

La reconnaissance de ses limites budgétaires, de ses limites de temps et de ses limites d'espace est de première importance.

Y a-t-il une nécessité de faire des achats suite au tri effectué dans la section précédente ? Disposez-vous d'un budget ? À combien se chiffre-t-il ? Pour établir un budget, il est important de reconnaître ce dont vous avez besoin comme objets utilitaires. Voir le chapitre 5 pour le guide d'achats des produits « sauve-temps ». Voici une liste sommaire d'objets utiles.

Salle de bain : support à serviettes, accessoires utiles (porte-savon, porte-brosse à dents, gobelet, cabinet pour produits hygiéniques et médicaux, miroir, etc.

Cuisine : armoires de rangement, support à couvercles, tablette tournante, etc.

Bureau : panier à rebuts, classeur, chemises à rebords, lampe, planificateur, etc.

Chambre : lampes, panier à linge, rideaux, oreillers neufs, organisateur pour les bas et les dessous, support à souliers, etc.

Autres espaces : étagères, bibliothèque, paniers de différentes grandeurs, lampes, etc.

Est-ce que le temps presse ? Un événement important (mariage, anniversaire, naissance, nouvel emploi, déménagement) arrive à grands pas et vous pousse à agir. Vous êtes tout simplement mûr pour un changement. Votre patron ou conjoint vous a-t-il imposé un ultimatum ou une échéance ? Peuvent-ils vous aider ou être une source de motivation pour obtenir les meilleurs résultats possibles ? Que vous soyez seul ou non, allez-y par étapes, suivez les bases de l'organisation et voyez les changements se manifester.

Autres considérations majeures

Est-ce que l'espace (en pieds carrés) disponible demeurera inchangé ou est-ce que l'espace sera agrandi ou encore redéfini pour accueillir des objets spécifiques ? Voyez votre espace différemment. Lorsque vous visitez vos amis ou votre famille, observez comment ils utilisent leur espace. Feuilletez les revues de décoration et visitez les magasins d'ameublement ou les salons de l'habitation pour avoir des idées.

Si vous êtes du genre à laisser traîner, pensez à installer des crochets, des tablettes, des supports pour faciliter les déplacements et le ménage.

Attention, je vais en choquer quelques-uns maintenant. Si vous avez « une chambre à débarras », vous devez utiliser ce lieu avec plus de sagesse. Si vous n'êtes pas convaincu, relisez l'introduction de ce livre et calculez les centaines de dollars par année perdus pour remiser vos bébelles qui pourraient servir ailleurs... Si vous avez saisi le message, tant mieux pour votre portefeuille et votre qualité de vie. Passez à l'action.

4. Élaborer un plan d'action

Le plan d'action est, comme vous, en constante évolution. Il n'est pas une finalité mais un assistant prêt à travailler aussi fort que vous pour atteindre vos objectifs, dans la mesure où vous lui accorderez de l'attention et une mise à jour occasionnelle. Toutefois, avoir un plan en mains sans le mettre en pratique c'est comme acheter des vitamines sans jamais ouvrir la bouteille ni avaler les comprimés. Le potentiel est latent mais périssable.

Vos priorités

Quelles pièces de la maison exigent le plus d'attention ? Il est possible que toutes les pièces de la maison, voire même le portique, les corridors, les escaliers, demandent votre attention. Énumérez par écrit chaque lieu.

Quelle pièce est la plus pressante ? Il est possible que vous répondiez qu'il y a urgence partout. Toutefois, identifiez quelle pièce vous donnerait un soulagement énorme, une bouffée d'air frais, un répit ? Un point de départ quoi ! Visualisez vos lieux. Écrivez à côté de chaque lieu la priorité de chacun.

Pourquoi le lieu choisi comme n° 1 est-il le plus pressant ? Écrivez sans tarder les raisons de l'urgence de passer à l'action dans cet espace. Rendez-vous dans ce lieu et visualisez ce qui s'y passe. Allez-y maintenant. Faites de même pour les autres lieux sur votre liste. Quelles activités voulez-vous pratiquer dans cet endroit ?

5. Se mettre en action

Agissez maintenant pour progresser vers les résultats escomptés. Voici un exemple pratique et simple suivant les bases de l'organisation.

Identifier le problème : il n'y a plus d'espace dans la penderie de la chambre principale. C'est un fouillis total. Les cintres de métal ne maintiennent pas la forme de mes vêtements et créent des plis inesthétiques qui me demandent de repasser mes chemises deux fois plutôt qu'une. Je n'ai pas de tablette pour entreposer mes vêtements d'hiver.

Considérer toutes les options : je n'ai qu'une penderie pour mes vêtements. L'achat de cintres de bois avec support pour les épaulettes est conseillé. Installer une tablette ou deux procurera un espace de rangement additionnel pour mes vêtements d'hiver. Un support à souliers dégagerait le plancher.

Reconnaître ses limites : je n'ai que 100 $ de budget pour ce projet. Je n'ai pas beaucoup de temps à y consacrer. Je n'ai pas d'espace pour ajouter une armoire mais peut-être assez pour une patère ou des crochets derrière la porte de la chambre.

Élaborer un plan d'action : je planifie prendre trois heures par semaine pour organiser cet espace, soit une heure durant la semaine et deux heures le samedi jusqu'à ce que j'aie terminé. Préparer des sacs ou des boîtes avec les titres : « à donner, à réparer, à repasser, à vendre ou à jeter ». Trier une catégorie de vêtements ou un genre à la fois (exemple : souliers, manteaux, pantalons). Donner, réparer, repasser, vendre et jeter les vêtements dès que possible.

Agir maintenant et maintenir les résultats : je commence à midi aujourd'hui. Je rangerai mes vêtements à tous les jours dans leur « maison ». J'ajusterai le système mis en place lorsque je ferai de nouveaux achats. Je ferai un tri annuellement pour maintenir l'ordre.

Combien de temps prendra chaque pièce ?

Tout dépend de l'ampleur du bric-à-brac ou du désordre. En suivant les étapes suivantes, vous pourrez voir des résultats en quelques heures. Cinq éléments sont essentiels dans l'évolution de la démarche. En commençant par la pièce la plus urgente, vous verrez la magie s'opérer d'heure en heure. Un premier *blitz* de 3 à 5 heures est un bon point de départ.

Préparation :

- Affichez votre feuille de motivation élaborée plus haut pour vous stimuler à aller jusqu'au bout.
- Choisissez une ambiance musicale agréable.
- Commencez par la pièce que vous avez jugé la plus urgente (sortir votre liste créée plus haut).
- Identifiez chaque sac avec une affiche (grand sac de recyclage ou à ordures) ou chaque grande boîte de carton : « à donner, à réparer, à jeter, à recycler ou à vendre ».
- Faites le tour d'une pièce en commençant par un coin stratégique comme une garde-robe, un bureau de travail ou un classeur.
- Prévoyez une pause à la mi-temps du bloc d'heures prévues pour la journée afin de refaire vos énergies.
- Prévoyez une récompense particulière et originale lorsque la pièce sera entièrement réorganisée.
- Visualisez l'après bric-à-brac. Soyez précis. Vous saurez mieux cibler ce dont vous ne voulez plus.

Facultatif : Prenez une photo avant les changements. C'est très révélateur de découvrir ce que l'on a pu endurer comme désordre lorsque celui-ci est chose du passé. Cette photo est une autre forme d'encouragement pour la durée de l'exercice.

Le **triage** implique d'arriver face à face avec des choix effectués dans le passé et de vérifier si ceux-ci sont encore pertinents aujourd'hui. Vous allez être étonné de ce qui se cache chez vous. La préparation est maintenant terminée, l'heure de l'action concrète a sonné. Plus d'excuses, plongez.

Mettez les sacs ou boîtes avec les affiches « à donner, etc. », au centre de la pièce. Ne prenez chaque objet qu'une seule fois dans vos mains et décidez de son sort immédiatement. Soyez intraitable.

Élimination : tout vêtement non porté depuis plus d'un an, un des objets clones. Par exemple : un des deux aspirateurs, journaux de plus de 2 jours, revues de plus de 2 mois, vêtements déchirés ou tachés que vous jugez irrécupérables. Vérifier la liste des choses à éliminer aujourd'hui au début du chapitre 5.

Assignation d'une « maison » permanente pour chaque objet, quelle que soit sa nature. Cette étape prendra de quelques minutes à une demi-heure, selon l'utilisation et la valeur de l'objet en question.

Rangement : contenants, supports, tablettes, crochets convenables sont nécessaires. C'est à cette étape que le budget se fixe et que la liste des outils de rangements à acheter se précise. Pour maximiser l'espace, utiliser l'effet « poupée russe » pour les valises et les fourre-tout qui sont gourmands en pieds carrés.

Maintien : quelques minutes par jour. Chaque année, passez en revue l'ensemble de vos biens afin qu'ils représentent toujours votre vie actuelle.

Combien de temps conserver vos papiers importants ?

En permanence

- Certificat de naissance, de mariage, d'union libre, de décès, de changement de nom, de jugement d'adoption, de reconnaissance de paternité.
- Jugement de divorce ou de séparation de corps
- Dossier médical et carnet d'immunisation
- Testament
- Diplômes
- Relevés de comptes bancaires
- REER, FEER
- Police d'assurance-vie

Tant que vous possédez les objets

- Factures d'achats et garanties de meubles ou d'objets de valeur

Jusqu'à la retraite

Travail : talons de paies, lettres d'embauche, de licenciement, bulletins de prestations d'assurance-chômage.

Attention : Les délais de conservation des documents suivants sont, pour la plupart, statués selon la période de contestation établie.

Durée du contrat

- Police d'assurance habitation, contrat d'assurance automobile
- Justification de paiements de prêt bancaire

5 ans

- Reçus de taxes scolaires, municipales et d'eau
- Rapports d'infraction et billets d'infraction ou d'amende
- Contrat de vente d'une maison ou d'un terrain (une copie est toujours disponible au bureau du notaire)

3 ans

- Impôts provincial et fédéral et leurs pièces justificatives pour les particuliers. (Les travailleurs autonomes sont tenus de conserver leurs registres d'impôts pendant 6 ans plus l'année en cours.)
- Justification de paiements de pensions alimentaires suite à un jugement d'annulation.
- Quittances de loyer et résiliations de baux
- Ordonnances
- Factures de services de professions libérales

1 an et moins

- Factures d'électricité, mazout et gaz
- États de portefeuille de placements (REER, FEER et succession réglée)
- Avis de décision de prestations sociales

3 mois

- Factures de cartes de crédit
- Factures de téléphone, d'Internet, de câble, de téléphone cellulaire

• Copies de relevés de transactions au guichet automatique et Interac (à jeter si vous recevez un relevé de compte bancaire mensuel ou possédez un livret de caisse ; sinon conservez-les 30 jours).

Avis : vérifiez chaque état de compte reçu afin de détecter les erreurs et émettre les contestations dans les 30 jours suivant sa réception. Veuillez déchiqueter tous les documents contenants des informations personnelles avant de les jeter.

Qui appeler lorsque vous serez prêt à effectuer un don

Les petits frères des Pauvres
www.canada.petitsfreres.org
Cet organisme apporte un appui aux personnes âgées dans les villes suivantes : Montréal, Québec, Sherbrooke, Matane, Lac-Mégantic, Saguenay et Trois-Rivières.
Vos dons sont les bienvenus.

Société de Saint-Vincent de Paul
www.ssvp-mtl.org
Collecte de vêtements et de meubles.
À Montréal : Tél. : 514-526-5937
Courriel : permancence@ssvp-mtl.org

Le Chaînon
www.lechainon.org
Cet organisme accompagne les femmes en difficulté. Apporter vos dons de vêtements et de meubles à la boutique.
Le Coffre aux Trésors du 4375 boul. Saint-Laurent à Montréal, ou appelez au numéro 514-843-4354 ou au 514-845-0151 pour un don en argent.
Courriel : info@lechainon.org

L'Armée du Salut
www.armeedusalut.ca
Cet organisme a des magasins d'occasion dans les grandes villes du Québec. Pour connaître l'adresse la plus près de chez vous, cliquez

dans la barre L'Armée du Salut, ensuite sur l'onglet Services, puis sur Trouver une entité de l'Armée du Salut.

Jeunesse au Soleil
www.sunyouthorg.com
Cet organisme accepte des denrées alimentaires et des vêtements pour toute la famille au 4251 rue St-Urbain, à Montréal.
Appelez pour plus d'informations au 514-842-6822.

Dans la rue
Cet organisme aide les jeunes et moins jeunes en difficulté. Ils font la cueillette de matelas, de literie, d'électroménagers et de meubles. Appelez pour plus d'informations au 514-526-7677.

Mission Bon Accueil
www.mbawhm.com
Cet organisme qui vient en aide aux plus démunis a des besoins pressants de vêtements, de literie et d'articles ménagers.
Appelez pour plus d'informations au 514-935-6396.

Centre NAHA de Montréal
Ramassage de tous vos objets, de la télé à la vaisselle en passant par les vêtements.
Coordonnées : 514-259-9962/5995 rue Hochelaga (coin Cadillac).

L'atelier de meubles et de recyclage Ahuntsic-Cartierville (AMRAC)
Cet organisme de réinsertion procède à la cueillette de meubles dans la région de Montréal.
Appelez-les pour plus d'informations au 514-388-5338.

Autres ressources

Vélo

www.sosvelo.ca
Votre vieux vélo sera peau neuve chez SOS Vélo inc. Vous contribuerez à la cause des jeunes. Ils iront même le chercher chez vous.
SOS Vélo inc. : 2085, rue Bennett, Montréal.
Tél. : 514-251-8803

www.cyclonordsud.org
Cyclo Nord-Sud recueille les bicyclettes usagées, les retape et les expédie en Afrique, en Amérique du Sud et là où des gens ont leurs deux pieds pour seul moyen de transport. Depuis 1999, ils en ont réparé plus de 11 000 qu'ils ont ensuite envoyés un peu partout sur la planète. Des cueillettes ont lieu dans tout le Québec.

Pour faire un don : le vélo doit avoir un cadre d'au moins 50 cm (20po). Vous devez donner 10 $ pour couvrir une partie des frais d'expédition. Renseignements par téléphone au 514-843-0077.

Ordinateur

www.opeq.qc.ca
Quatre-vingt mille personnes ont fait don de leur vieil ordinateur pour les écoles du Québec. L'Opeq récupère les ordinateurs des entreprises et les refile aux écoles.

Micro-Recyc-Coopération

www.microrecyccoop.org
Cet organisme recueille le matériel informatique usagé. Des jeunes défavorisés recyclent les produits qui prendront par la suite la route du sud.

Tombez pile

www.call2recycle.ca

Vos vieilles piles rechargeables et vos anciens téléphones cellulaires traînent dans vos tiroirs ? Vous pouvez maintenant vous en débarrasser dans l'un des dépôts de votre région. Grâce au programme pancanadien Appelàrecycler®, toutes les piles rechargeables seront recyclées et traitées dans des installations de pointe conçues pour la revalorisation des métaux alors que les téléphones cellulaires qui ne peuvent être remis à neuf seront recyclés de façon écologique.

Objets de valeur – à vendre

www.groupebanco.com
Le Groupe Banco achète de la marchandise usagée, vend et échange une foule d'articles incluant les bijoux.
Service à la clientèle: 514-540-banco. Neuf magasins pour vous servir.

Play it again sports

www.playitagainsports.com
Depuis plus de 20 ans, Play it again sports achète, vend et échange vos équipements et articles de sport neufs et usagés.
Neuf magasins au Québec.

Recyc-Québec

www.recyc-quebec.gouv.qc.ca
Tel que lu sur le site Web de la société: «Créée en 1990, la Société québécoise de récupération et de recyclage (RECYC-QUÉBEC) est une société d'État qui a pour mission de promouvoir, de développer et de favoriser la réduction, le réemploi, la récupération et le recyclage de contenants, d'emballages, de matières ou de produits, ainsi que leur valorisation dans une perspective de conservation des ressources.» Un site incontournable pour tout savoir sur le recyclage à domicile et bien plus. Appel sans frais:1-800-807-0678

Photocopiez et affichez à vue le contrat ci-dessous après avoir établi quel sera votre premier projet. Il sera votre aide-mémoire pour toute la durée de votre projet d'organisation. Adaptez-le en cours de route et, s'il le faut, redéfinissez les étapes pour qu'elles imitent la réalité. Ajoutez une feuille mobile au contrat au besoin.

Préparez un nouveau contrat pour chaque projet.

Contrat d'engagement à l'action

Je, ______________________________, m'engage

à mieux m'organiser jour après jour à partir d'aujourd'hui le

____________________.

Je m'engage à mettre les efforts nécessaires afin de me rapprocher de mon objectif. D'écrire celui-ci ainsi que les étapes de mon projet d'organisation et d'en produire une copie pour mon témoin, mon assistant motivateur, que je gâterai lorsque je franchirai des étapes majeures.

Votre signature : ______________________________

Signature du témoin : ______________________________

Projet d'organisation :

____

____

Contrat d'engagement à l'action

Objectif :

____

____

____

____

____

Étapes :

1. ______________________________

____

2. ______________________________

____

3. ______________________________

____

4. ______________________________

____

5. ______________________________

____

Note : Le rôle du témoin est de vous lancer des rappels sporadiques sans jugement mais aussi sans relâche de votre engagement et de l'étape en cours.

Prenez une pause le temps que je vous raconte

Marie-Maude désirait plus que tout vivre du métier de designer de mode mais, suite à quelques malchances et par peur du succès, elle s'était contentée d'enseigner dans une école de design de la mode où elle recevait beaucoup d'éloges. Lors d'une consultation, nous avons fait une découverte étonnante, soit des boîtes dans le fond d'un cabanon où tout gelait durant l'hiver. Nous avons tout de suite ramené les boîtes dans son atelier pour y découvrir des tissus merveilleux qu'elle avait achetés il y a plus de 10 ans. La chose qu'elle aimait le plus était remisée loin d'elle, en plus d'être gelée. Depuis, Marie-Maude s'est remise à dessiner et a recommencé à créer pour son plaisir. Sa confiance en son talent a quadruplé. Elle songe maintenant à faire le grand saut et à réaliser son rêve.

Statistiques

Selon des sondages, 97 % des gens utilisent des calendriers sur une base régulière (source : DayTimer).

Sites Web susceptibles de vous donner un coup de main additionnel

www.daytimer.com
Le site par excellence pour choisir le bon agenda papier.

www.organize-everything.com
Magasin en ligne de produits d'organisation.

www.juliemorgenstern.com
Une des organisatrices professionnelles les plus réputées des États-Unis.

Vos notes

Vos notes

Chapitre 2
Guide de survie au travail

Ce chapitre est rempli de trucs concernant différentes situations rencontrées au travail. Ils sont regroupés sous quatre thèmes : vous, les collègues, les distractions et l'ordinateur.

Est-ce que votre travail est devenu une drogue ? Est-ce qu'il prend toute la place ? Résistez-vous à mieux vous organiser parce que vous aimez que l'on sache que vous êtes débordé ? Lorsqu'une telle dépendance est présente, des signes physiques se manifestent : maux de tête, palpitations, crampes, bourdonnements dans les oreilles, paupières sautillantes et autres symptômes. Si c'est le cas, vous êtes en surdose. Il est temps de vous prendre en main et de réagir.

Les idées et trucs suivants peuvent vous aider à gérer cette dépendance. Ils pourront vous garder à flot dans une mer de demandes continuelles.

Vous

Dressez une liste de vos priorités. Cette liste travaille comme votre assistant personnel qui est toujours là à vous taper sur l'épaule pour vous rappeler ce qui est prioritaire. Si des tâches sont devenues des priorités, c'est qu'elles ne l'étaient pas encore hier. Si elles l'étaient, votre cœur doit battre fort en ce moment. La longueur de votre liste des choses quotidiennes à faire devrait être proportionnelle au temps que vous avez de disponible pour la compléter. Soyez réaliste.

> Pour ne pas oublier des tâches à la maison ou au bureau, laissez-vous un message sur votre boîte vocale.

D'autre part, ce n'est pas parce que vous l'avez écrite sur votre liste que cette tâche doit être acquittée par vous. Pouvez-vous déléguer ?

Deux questions devraient surgir face à chaque tâche à entreprendre.

1. À quelle conséquence devrais-je faire face si je ne l'exécute pas maintenant ? Si vous n'anticipez aucun impact négatif, alors cette tâche n'est pas une priorité.

2. Est-ce que l'étape à laquelle je veux m'attaquer est la prochaine en liste dans le projet ou est-ce que je saute une étape déterminante ?

En ayant ces deux interrogations en tête, vous vous éviterez des frustrations et la perte de temps précieux.

Faites un ménage à toutes les 2-3 heures de votre poste de travail et faites-le définitivement avant de quitter, à la fin de votre quart de travail (que vous soyez salarié ou à votre compte). À la fin d'une journée, organisez votre poste de travail comme si vous partiez en vacances, qu'elles soient pour 15 heures ou 15 jours. Vos débuts de journées ne seront plus jamais pareils.

Prenez les quinze dernières minutes de la journée de travail pour planifier votre lendemain : priorités, rendez-vous, derniers préparatifs, suivis et temps approximatif alloué à chacune de vos priorités.

Utilisez un seul endroit pour tout noter, comme votre agenda. Vous éviterez des conflits d'horaires entre votre vie personnelle et vos engagements professionnels. Notez toutes les choses à accomplir et l'heure à laquelle vous voulez les terminer. Le secret est de calculer le temps réel qu'il vous faudra pour réaliser chaque tâche tout en vous réservant des espaces pour respirer et parer aux imprévus. Votre temps deviendra soudainement tangible et maniable.

Ne planifiez que 60 % de votre temps au travail.
Les imprévus ne prennent jamais de rendez-vous.

Pour épargner des pas et de l'énergie, consolidez des activités. Par exemple, si vous devez aller à l'autre bout du bureau pour remettre un document à quelqu'un, attendez d'avoir au moins une autre action à y exécuter avant d'y aller.

Que ferez-vous après-demain ? Vérifiez ce que vous réservent les prochains jours afin de préparer à l'avance les documents, suivis, contrats, etc. Décidez de ne plus éteindre de feux. Jouer aux pompiers, c'est pour les enfants. Le jour où j'ai pris cette décision, un poids s'est retiré de mes épaules. En tant qu'assistante d'un président de compagnie, j'étais constamment dans le feu de l'action. Je planifiais tout ce que je pouvais. Pour le reste, je gardais à l'esprit les priorités et les échéances des projets en chantiers tout en naviguant avec les imprévus. Prenez une pause ou des vacances de deux minutes sporadiquement durant la journée, cela aide à mettre les choses en perspective.

Si ce n'est pas déjà acquis, apprenez une méthode de doigté. Le principe ASDF, vous connaissez ? Si vous n'avez pas eu la chance pendant vos années d'études de prendre un cours de doigté, celui-ci vous sera d'une aide inestimable pour le temps consacré à rédiger des documents à l'aide d'un clavier. Plus vous l'utilisez, plus vous serez rapide et plus vous aurez du temps pour faire autre chose.

Le cahier de notes

Comme vous avez un seul agenda, ayez aussi un seul endroit où écrire vos notes. Oubliez les notes collées partout. Commencez une nouvelle page à chaque jour même si la dernière page est presque vide. Écrivez toujours la date du jour ou estampillez-la avec un dateur, cela facilitera vos recherches des notes des jours passés.

Pour vos lectures obligatoires, résumez les grandes lignes à la fin du texte en plus de souligner les mots ou les informations-clés. Par conséquent, vous n'aurez pas à relire le texte une deuxième fois.

Si vous avez de la difficulté à vous concentrer sur une même tâche pendant une longue période de temps (plus de 55 minutes), alternez les types de tâches. Pour les travaux exigeant de la concentration comme la rédaction, les suivis téléphoniques, les réunions, etc. et les travaux légers : produire des photocopies, des envois de télécopies, rassembler le matériel pour un rendez-vous ou un projet. Toutefois si vous travaillez bien pendant des heures consécutives sur une même tâche, allouez-vous des petites pauses telles que des respirations profondes, des étirements ou buvez pour vous garder hydraté. Celles-ci vous donneront un second souffle.

Votre attention est sollicitée comme jamais. On vous demande d'effectuer des tâches multiples, d'être au devant des échéances qui sont de plus en plus courtes. Lorsque vous vous occupez de plus d'une chose à la fois, vous ne vivez pas le moment présent et êtes enclin aux erreurs, aux accidents ou aux faibles résultats. Votre pleine attention non diluée est vitale et crée en retour une expérience non diluée et intense.

Pour ne pas perdre le fil au bureau : évitez...

- de commencer votre journée sans avoir établi de plan ni ciblé vos priorités ;
- de commencer par les priorités mineures plutôt que votre priorité numéro 1 ;
- d'accomplir le travail des autres ou de votre assistant ;
- de ne pas avoir des objectifs clairs lors de vos recherches sur Internet ;
- de socialiser à outrance ;
- d'arriver en retard ;
- de répondre systématiquement à tous vos appels téléphoniques si possible, établissez un temps pour vos suivis ;
- de vous plaindre alors que vous avez accepté une tâche additionnelle ;
- de laisser tout en plan à la fin de la journée sans avoir préparé votre lendemain ;
- de vous attaquer à trop de choses en même temps.

Sur la route… Aujourd'hui à Québec, demain à Toronto et après-demain…

Ce genre de travail est fait pour les super organisés. Travailler sur la route exige de prévoir les imprévus, d'anticiper les demandes spéciales et de gérer son temps tout en restant en lien avec le bureau.

Être stimulé jour après jour, avoir des idées innovatrices pour régler des situations signifient parfois que vous garderez votre emploi encore une autre journée.

À part la route, la chose qui change constamment est le client. Vous rencontrez des univers et des réalités nouvelles à chaque coin de rue. S'adapter et être flexible au changement devient une nécessité dès la première journée.

À part les avantages et les bénéfices que votre service ou spécialité offrent au client, vous êtes dans l'obligation d'être attentif, patient et souriant.

Comment améliorer votre efficacité et votre rendement ?

1. Établissez vos priorités et vos objectifs de la semaine ou du voyage.

2. Munissez-vous des meilleurs outils de communication et d'organisation possibles et sachez les utiliser avec aise.

3. Changez votre message d'accueil téléphonique pour n'accepter que les messages qui demandent une réponse prompte. Les autres messages pourraient être pris en charge par un assistant.

4. Activez votre message d'absence à votre adresse courriel. Indiquez le meilleur temps pour vous rejoindre et comment.

5. Sachez utiliser les temps d'attente avec efficacité. Écrire vos idées dans un cahier ou si vous conduisez, enregistrez vos idées sur un magnétophone.

Travailleur autonome ou télétravailleur

La difficulté de séparer la vie personnelle du travail est une problématique constante.

Voici six solutions qui peuvent apporter un brin de stabilité à vos longues journées.

1. Fixer la priorité numéro un de votre prochaine journée de travail ainsi que les étapes à sa réalisation avant de quitter votre poste de travail.

Avantage : libérer votre esprit du travail pour être pleinement avec les membres de votre famille.

2. Instaurer un horaire de travail qui s'apparente aux autres travailleurs.

Avantage : sentir que l'on est intégré à la société.

3. Implanter un rythme de travail. Par exemple, lundi am : suivis téléphoniques, lundi pm : prospection, mardi am : facturation, mardi pm : rédaction, etc.

Avantage : calme les angoisses de ne pas avoir accompli assez.

4. S'attribuer des pauses-santé en sortant dehors.

Avantage : question de ventiler l'esprit et de découvrir des angles différents d'un même problème à régler.

5. Si possible, fermer l'espace dédié au bureau par une porte, un rideau, un paravent ou autre.

Avantage : créer une séparation physique entre le travail et la vie personnelle.

6. Réseauter avec d'autres travailleurs autonomes à des déjeuners-causerie afin de vanter vos services ou votre spécialité. Être membre d'une association, d'un cercle d'entrepreneurs ou d'une chambre de commerce.

Avantage : briser la solitude.

Calendrier

Aide-mémoire pour être plus efficace

Janvier Organisez la surface de votre bureau à la fin de chaque jour. Effectuez un mini ménage aux 2-3 heures.

Février Ménage des courriels et des dossiers périmés. Supprimez, supprimez.

Mars Purgez vos filières. Outils essentiels : grande poubelle, dégrafeuse, bac de recyclage et patience.

Avril Commencez à utiliser une liste de choses à faire chaque jour.

Mai Révisez votre façon d'identifier ou d'attaquer vos priorités quotidiennes.

Juin Identifiez vos distractions et commencez à les éliminer.

Juillet Refusez les demandes auxquelles vous n'avez pas le temps de répondre. Ne vous justifiez pas. Non, c'est non.

Août Prenez le temps de planifier votre lendemain avant de quitter votre bureau.

Septembre Au lieu d'investir 25 % de votre temps sur quatre projets à la fois, essayez de travailler à 100 % sur un projet pendant un laps de temps fixe et voyez votre productivité et efficacité augmenter.

Octobre Soyez conscient de la façon dont vous communiquez. Notez que les mots sont retenus à 7 %, le ton de la voix à 38 % et le non verbal à 55 %.

Novembre Postez une note de remerciement écrite à la main à quelqu'un qui vous a fait une faveur, vous a rendu service, vous a inspiré, etc.

Décembre Écoutez avant de parler.

Comment utiliser ce calendrier : appliquez une action par mois ou par jour, ou encore, choisir au hasard.

Les collègues

Il faut se tenir loin des personnes accaparantes qui grugent temps et énergie. Je les appelle les énergivores. Une réplique amusante pour couper la conversation peut être : « Mon bureau s'ennuie de moi et je dois y aller. » Quittez la personne à l'instant même sans plus de justification, avec le sourire. Ne permettez pas à ce type de personne de s'asseoir lorsqu'elle entre dans votre bureau. Dès son arrivée, levez-vous. Elle croira que c'est une marque de politesse. C'en est une mais envers vous-même.

Les réunions sont des incontournables.

Elles coûtent toujours de l'argent et du temps. C'est pourquoi il est essentiel de les préparer surtout s'il y a plusieurs personnes impliquées.

- Toutes les personnes impliquées devraient savoir qui a demandé la réunion et pourquoi. Dans la mesure du possible, le requérant fournit l'ordre du jour au préalable.

- Les participants devraient toujours arriver préparés et s'attendre à intervenir dans les discussions sinon ils n'ont pas de raison d'y assister.

- Se rappeler que durant un remue-méninges, toutes les idées sont bonnes à entendre et qu'aucun jugement de valeur ne devrait prévaloir à cette étape.

- Lorsque vous quittez une réunion, vous devriez, sans équivoque, en savoir plus sur le sujet traité, sur le plan d'action amorcé ou entamé et sur les participants qui rendront des comptes à la prochaine rencontre, fixée à une date plus ou moins officielle.

Pour ceux qui se reconnaissent dans le type de personnalité intuitive, voici un petit extra. Avez-vous perdu des ami(e)s à cause de vos retards ou ceux de votre conjoint(e) ? Vos retards ont-ils abouti à des pertes de contrats, d'opportunités ou d'argent ? Êtes-vous tenté de commencer une dernière chose avant de partir à un rendez-vous ou au travail pour finalement arriver en retard à votre destination ? Pour les gens ponctuels, les retardataires chroniques sont insultants, arrogants, manquent de respect envers le temps des autres. Lorsque vous voyez dix personnes dans une file d'attente, observez leur attitude. Ont-ils l'air heureux d'attendre ? Probablement pas. Maintenant, réfléchissez à l'impression que vous laissez lorsque vous faites attendre quelqu'un. Si vous êtes un retardataire chronique, c'est que vous détestez attendre. À quand remontent vos premiers souvenirs de retards et quelles sont les circonstances qui les entourent ? Que cachent-ils ?

Dorénavant, arrivez à l'avance et notez les pensées et les émotions qui surgissent. Ce sera peut-être un pas vers des rendez-vous plus calmes avec les gens impliqués.

Dérangement : tolérance zéro ou le syndrome du cubicule

L'intrusion dans l'espace occupé par un collègue de travail semble encore un droit acquis. Le respect s'impose, une solution à la fois.

Pliez une feuille de papier couleur (cela attire plus l'attention qu'une feuille blanche) 8,5 x 11, en 3 parties égales. Vous pouvez écrire jusqu'à 6 messages (3 de chaque côté). Ces messages peuvent être : en lunch, ne pas déranger, à la salle de conférence, en réunion à l'extérieur du bureau, etc. Utilisez-les le plus souvent possible. Vous mettrez au parfum les collègues qui passent devant vous sans leur dire un mot, sans altérer votre concentration. S'il n'est pas possible de mettre cette affichette en face de vous, créez le nombre d'affichettes nécessaires et collez celle voulue à votre dossier de chaise. Ils respecteront votre environnement. J'utilise cette méthode depuis plus de deux ans et, croyez-moi, celle-ci fait boule de neige.

Ne confiez pas vos problèmes personnels à vos collègues de travail pour 21 jours, le temps d'en prendre l'habitude. Ayez un jardin secret. Si on se base sur la règle 80/20 de Pareto, 80 % s'en balancent et 20 % sont heureux que vous les éprouviez.

Si vous commencez votre journée sans une idée claire de la couleur que vous voulez lui donner, vous serez pris dès votre arrivée à éteindre les feux des autres et à répondre à ceux qui crient le plus fort. On ira directement à vous parce que vous avez la réputation d'avoir des solutions pour tout. Si vous fonctionnez par priorités, attendez-vous à blesser des égos. Ils ne sont pas habitués à être rabroués. En guise de consolation, dites-vous qu'à la longue ils comprendront.

Dire non : pourquoi pas ? Vous seul connaissez votre horaire et vos échéances. Refusez sans équivoque mais avec diplomatie à la demande que l'on vous soumet.

Déléguer. C'est être confiant que la fonction déléguée servira l'objectif que l'on a prédéterminé. Ne pas s'approprier une tâche qu'un autre pourrait aussi bien accomplir. Vous avez d'autres chats à fouetter. Tenez compte que l'on pourrait accomplir la tâche suivant une méthode différente de la vôtre tout en obtenant le même résultat.

Les distractions

La politique de la porte ouverte crée une ouverture psychologique pour vos collègues. De grâce, fermez votre porte lorsque vous avez besoin d'un minimum de 10 minutes pour une activité ou un projet. Glissez sur la poignée de porte une affichette que l'on retrouve dans les hôtels : ne pas déranger. Le message sera clair. Un exemplaire de ce type d'affichette est inclus à la fin de ce chapitre.

Vous avez un babillard à proximité de votre bureau ? Enlevez tout ce qui vous distrait, ne gardez que le nécessaire. Conservez-vous des procédures sur ce babillard juste au cas où ? Je vous suggère de rassembler toutes les procédures dans un cartable « procédures » divisé par sujet.

N'ayez que les outils nécessaires à votre travail sur votre bureau. Ceci pourrait inclure : téléphone, porte-stylos, agrafeuse, cubes de notes, support à dossiers, ordinateur, imprimante et votre dossier « projets en cours ». Tout le reste réduit votre champ visuel et affaiblit votre énergie créatrice essentielle. Faites les changements qui vous semblent appropriés aujourd'hui.

Les éléments qui vous rendent heureux et qui vous motivent devraient faire partie intégrante de votre décor au travail.

Voici quelques éléments essentiels.

- Lorsque vous mettez le pied dans votre bureau, la première chose que vous devriez voir est votre image favorite. Qu'elle soit un paysage, une photographie ou une peinture, elle vous motivera et vous donnera un élan pour vous attaquer aux priorités de la journée.
- Une étagère ou une tablette pour regrouper vos références. Une huche ouverte ou fermée au dessus de votre bureau de travail peut aussi faciliter l'accès à vos dossiers de références.
- Une filière pour classer vos documents et vos dossiers actifs.
- Un éclairage adéquat est d'une importance capitale. Une lampe ou deux mettront de la lumière sur vos affaires.
- Une chaise ergonomique avec dossier et hauteur ajustable.
- Une plante verte ou des fleurs aideront à oxygéner la pièce et cultiveront votre bonne chance.
- Un rideau ou un store de fenêtre qui laisse entrer la lumière.
- S'il est impossible de rafraîchir la peinture, vous pourriez installer des cadres avec photo ou dessin de la nature (fleurs, arbres, etc.).
- Dans l'art du Feng Shui, dont l'objectif est de vivre en harmonie avec les forces de la nature, l'eau qui circule symbolise l'argent dans votre vie. Ajoutez une petite fontaine ou, encore, écoutez les sons d'une cascade sur votre lecteur de cédéroms ou de cassettes.
- Une chaise pour vos invités.

Déterminez un temps fixe pour compléter un mini-projet. Utilisez un chronomètre ou une minuterie si cela vous inspire. Cette session de travail prédéterminée sur un projet unique est un pas vers la gestion de votre attention. N'acceptez aucune distraction d'autrui ou qui vous soit sournoisement imposée par votre subconscient (par exemple : se préparer une boisson chaude, envoyer une télécopie soi-disant urgente). Les gens rigoureux face à leur temps font ce qui est prioritaire, nonobstant leur moral.

Le papier

Question fréquente

Comment gérer le papier ?

On dit que 60 % des papiers gisant sur votre bureau ne servent pas à la tâche à laquelle vous travaillez dans l'immédiat. Donc, lorsque vous passez à autre chose, fermez le dossier ou le projet en question, classez-le dans « choses à faire » et passez à votre prochaine priorité. C'est fou comme cela peut clarifier les idées et sauver de l'énergie. Avez-vous remarqué que lorsque vous voyez la couleur de votre bureau, les choses deviennent plus claires ? Essayez-le pour voir.

95 % pour cent de tout ce que l'on classe
ne sera jamais requis.

La publicité des fournisseurs qui ne dure qu'un temps, les multiples copies du même document, le dédoublement de filière, tous sont à trier. Au lieu de classer systématiquement tous les dossiers, commencez par prendre l'habitude de trier les dossiers déjà classés au moins une fois l'an. De quelle nature est le document ? Quelle importance a-t-il ? Est-il classé dans la bonne zone ? Dans une entreprise, huit zones de classement sont nécessaires : clients, fournisseurs, clients potentiels, gouvernement, budget, salaires, comptabilité et publicité/marketing. Ne créez pas de dossier avec la mention « varia ». Si ces papiers sont assez importants pour les garder, prenez le temps de les catégoriser, sinon, vous devrez consulter tout le dossier pour en connaître son contenu.

Selon des études récentes produites aux États-Unis, nous imprimons plus que jamais des documents, malgré l'informatique. De plus, nous imprimons plus de la moitié des courriels reçus. Comment mieux gérer tout ce papier ?

Le contrôle du papier est une étape importante en organisation, que ce soit pour le travail ou pour vos papiers personnels. C'est une tâche facile en autant que vous vouliez le faire et sachiez comment le faire.

À la base, il y a seulement cinq choses à faire avec le papier :

1. Vous pouvez agir dès sa réception.

2. Vous pouvez le placer dans une chemise « Prendre action » ou dans une chemise « Projet » que vous attaquerez plus tard ou, encore, dans une chemise « À étudier ».

3. Vous pouvez l'acheminer à la personne concernée ou le déléguer à une autre personne.

4. Vous pouvez le classer dans une filière.

5. Vous pouvez tout simplement le jeter.

Le processus de triage du papier sert autant au courrier interne que celui reçu du facteur. En manipulant chaque morceau de papier un par un, il est plus facile de déterminer s'il doit être conservé ou détruit. L'accumulation de papier survient lorsqu'une personne ne sait pas comment l'orchestrer dans sa vie. La première chose à déterminer dans le processus du triage est de prendre une décision pour chaque morceau de papier ou de prendre action dans l'instant ou encore le mettre dans un endroit désigné pour être traité plus tard. Le but est de donner une « maison » permanente à chaque papier reçu.

Les papiers qui requièrent des actions concrètes dans le futur seront triés en différentes catégories. Une couleur de chemise différente pour chaque catégorie facilitera le repérage et le classement des papiers. Voici les différentes catégories.

Agir maintenant. Tout papier qui demande une action ne pouvant pas être accomplie pendant le triage (parce qu'elle demande plus de quelques minutes) est inscrite à votre liste de choses à faire et placé dans la chemise « Agir maintenant ». (Note : il est préférable de garder ces chemises sur un support vertical plutôt que de les empiler. Ce qui n'est pas à la vue est souvent vite oublié.)

Projet. Cette chemise est de type «Agir maintenant» mais est spécifiquement reliée à un projet défini qui requiert différentes étapes. Quand le projet sera terminé, vous pourrez le classer dans vos filières de classement.

À étudier. Tout item qui demande une étude, une rencontre, une discussion comme des événements à assister, des invitations, une recherche, des services ou produits à acheter, devrait être placé dans la chemise «À étudier». Si vous considérez accepter une invitation, celle-ci pourrait être inscrite à votre agenda au crayon de plomb tout de suite. Quel que soit le cas, cet item doit être noté sur votre liste de choses à faire (par exemple : discussion du vidéo corporatif avec Marc).

À lire. Ce genre d'item peut être un article de revue ou même le journal en entier. Il est préférable de se fixer un temps de lecture ou d'apporter sa lecture lorsqu'on aura un moment d'attente entre deux rendez-vous.

Finance. Toute facture à payer devrait y être insérée. Les demandes de réquisitions ou bons de commandes à remplir devraient être inclus dans cette chemise.

Coin aux messages. Les messages téléphoniques sur papier devraient avoir un lieu désigné pour assurer leur suivi. Si possible, prenez les messages dans un cahier de messages ayant une copie carbone. Si vous avez un système de messagerie vocale, il existe des systèmes de retraçage d'appels pour achever vos suivis téléphoniques.

Faire la gestion du papier qui entre et sort de votre vie veut tout simplement dire qu'il n'y a plus de piles de papier mystère ça et là. Le fait de manipuler chaque morceau de papier vous met en contrôle de ce que vous avez à faire et vous permet de retrouver les items facilement et rapidement. Tout papier devrait avoir sa «maison», c'est-à-dire avoir un lieu défini. Les piles de papier qui alourdissent présentement votre environnement apparaissent peut-être comme une montagne, mais ils ne prendront pas des semaines ni même des mois à trier. Une fois que vous commencerez le processus de triage, vous apprécierez le fait d'avoir un lieu propre et serein. (Ce segment est, en partie, tiré de l'article *Paper Management*. Cyndi Seidler est auteur, journaliste et experte en organisation. Elle dirige H.G. Training Academy situé à Los Angeles, Californie.)

Plus d'une vingtaine de villes du Québec mettent à la disposition des citoyens un camion déchiqueteur pendant une journée durant le mois de mars de chaque année (mars étant le mois de la sensibilisation à la fraude). Vous pouvez apporter tous vos vieux documents et papiers gratuitement afin qu'ils soient détruits de façon sécuritaire. Surveillez les informations fournies par votre ville pour obtenir la date, le point de rassemblement et de chute de cette activité annuelle.

L'ordinateur

Sachez utiliser les raccourcis des logiciels les plus utilisés pour votre travail. Il en va de même pour les procédures simplifiées de votre téléphone. Imprimez la page des raccourcis de votre système téléphonique et celles de vos logiciels et affichez-les pour vous y référer facilement, le temps de les assimiler.

Utilisez l'Internet à haute vitesse car l'économie de temps de téléchargement est substantielle en comparaison avec l'accès régulier. L'Internet à vitesse intermédiaire est maintenant disponible et peut être un bon compromis.

Les achats en ligne peuvent éviter bien des déplacements. Voici quelques conseils pour un magasinage en ligne sécuritaire :

- À partir du fichier de votre barre d'outils, cliquez sur « propriété général », l'adresse du site Web qui y figure doit être la même que celle que vous consultez sinon c'est une arnaque.

- Assurez-vous de pouvoir communiquer par téléphone avec le fournisseur préférablement grâce à un numéro sans frais ou par courriel s'il y a un pépin avec la livraison, la marchandise ou simplement si la marchandise n'est pas satisfaisante.

- Lisez toutes les conditions d'achat avant de donner votre numéro de carte de crédit.

- Imprimez chaque page de la transaction. Elles seront votre preuve d'achat jusqu'à la livraison du produit ou pour faciliter le retour de la marchandise.

- Assurez-vous que le site Web est sécurisé par l'icône d'un cadenas fermé situé au bas de la page de transaction ou que l'adresse du site Web commence par : « https » (le S signifie : site sécurisé). Il vous assure que votre transaction est protégée et confidentielle. Sinon, à vos risques et périls.

- Munissez-vous d'un anti-virus ou d'un anti-spy et maintenez-le à jour.

Pour des informations complémentaires sur le magasinage en ligne, visiter le site Web gouvernemental suivant : www.strategis.ic.gc.ca sous la rubrique *Aide au magasinage en ligne*.

Jetez vos courriels indésirables, les publicités, les offres soi-disant alléchantes de destinataires inconnus dès leur réception, sans les ouvrir. N'accordez aucune énergie créatrice, ni votre précieux temps à cet énergivore. Ajoutez un filtre à votre compte pour limiter ces indésirables.

Nettoyez votre banque de courriels au moins une fois par mois. Créez des dossiers maîtres par sujet, par client, par fournisseur ou par projet, etc. Déterminez si l'information sauvegardée est encore pertinente. Créez, si ce n'est pas déjà fait, un titre résumant le propos du courriel par des mots-clés, sauvegardez sur disquette ou cédérom vos dossiers maîtres avec la date du jour pour vous prévenir des affres des bogues informatiques. Plus de panique pour retrouver ce fameux courriel si important, maintenant que vous avez mis de l'ordre. Le secret est d'entretenir votre système, mois après mois.

Quiz

L'agenda électronique versus l'agenda papier

1. Êtes-vous une personne papier ou clavier?

   Encerclez: papier/clavier

2. Vous passez 50% et plus de votre temps assis à votre poste de travail?

   Encerclez: + 50%, préférez l'agenda papier.

   - 50%, préférez l'agenda électronique.

3. Oubliez-vous des papiers ça et là sur lesquels vous aviez inscrit un rendez-vous à entrer à votre agenda électronique?

   Encerclez: si oui, préférez l'agenda papier.

   si non, préférez l'agenda électronique.

4. Devez-vous écrire plus de deux lignes d'information pour chaque entrée de rendez-vous?

   Encerclez: si oui, préférez l'agenda papier.

   si non, préférez l'agenda électronique.

5. Agenda papier: encerclez votre préférence.

   poche 3 1/2 x 61/2, 8 x 11, 5 x 7, 91/2 x 71/2

6. L'aspect extérieur: encerclez votre préférence de formats:

   en vinyle, similicuir, cuir véritable, carton mou

7. Avez-vous besoin d'un carnet d'adresses à portée de mains en tout temps? Encerclez: oui/non

   Votre préférence: carnet d'adresses de papier
   carnet d'adresses électronique.

Quiz

8. Vous notez vos tâches par catégories : rendez-vous, à télécopier, préférez l'agenda papier.

   Vous notez vos tâches en termes chronologiques, préférez l'agenda électronique.

9. Votre pensée se traduit-elle facilement sur un clavier ?

   Encerclez : non/oui.

Résultats :

Papier : avec espace pour écrire rendez-vous, avec un carnet d'adresses, avec de l'espace pour notes et tâches.

Bons choix : Day-Timer, Quo Vadis : Président, Note 27, Trinote, Collection Prestige , At-a-Glance, Brownline.

Électronique : avec étui rabattable en cuir ou similicuir pour bloc-notes. Bons choix : les séries Palm et BlackBerry.

Apportez vos réponses ou ce quiz au magasin. Tenez les agendas dans vos mains et essayez-les car l'un d'eux sera votre complice pour les 365 prochains jours et pourrait vous suivre quelques années si son format et son étui vous conviennent. Demandez à un commis de vous guider pour un agenda électronique. Magasinez dans les grandes surfaces comme Costco et Bureau en gros car celles-ci ont plus de choix.

Entre le travail et la maison ou vice-versa

Il y a un temps pour tout. L'objectif est de faire en sorte que le temps de travail ne déséquilibre pas le balancier fragile entre le temps pour soi, le temps pour la famille et le temps pour le loisir.

Attendre est parfois un mal pour un bien. « Dépêche-toi et attends. » Vous avez le choix de pester contre les choses qui ne vont pas assez vite ou de prendre ce temps disponible pour vous avancer dans vos menus travaux de lecture et de préparations diverses. Si vous êtes de ceux qui n'arrêtent jamais, vous avez enfin l'opportunité de prendre ce temps en mini-vacances. Concevez des rêves éveillés de lieux relaxants ou simplement différents de votre quotidien ; une évasion par l'imaginaire quoi ! Les béhavioristes ont développé des vérités sur l'acte d'attendre. En voici quelques-unes : le temps inoccupé paraît plus long que le temps occupé. L'être humain a une peur naturelle d'être oublié. Une injustice semble rendre l'attente plus longue. Ne pas s'attendre à attendre rend l'attente plus longue. Ouf ! Pour ceux qui ne désirent pas s'évader par l'imaginaire, voici une idée : créer un « sac d'attente ». Mettez-y livres, articles à lire, toutes ces choses menues qui sont transportables partout où vous allez (aéroport, dentiste, médecin, garagiste, cinéma, coiffeur, autobus, train, avion, etc.). Laissez ce sac près de la porte de votre demeure, il sera toujours prêt à partir avec vous.

La conduite automobile peut parfois nous sembler interminable. Pourquoi ne pas occuper ce temps en écoutant votre musique préférée et chanter (pour détendre votre mâchoire tendue et évacuer le trop-plein). Un livre-cassette ou encore une cassette de farces de votre humoriste préféré est aussi efficace. Si vous voyagez seul, écoutez des cassettes ou disques que vous n'oseriez pas écouter autrement.

Dans le métro ou l'autobus

Vous lisez votre livre préféré.

Vous revoyez vos priorités de la journée.

Vous constituez une liste d'épicerie.

Au centre-ville

Faites une pause lecture à la librairie la plus proche durant le lunch.

Allez marcher autour du bloc lorsque vous commencez à soupirer devant vos collègues, à être impatient avec vos clients ou lorsqu'un mal de tête surgit.

À pieds

Entrez dans un nouvel endroit (librairie, boutique, etc.). Explorez même si ce n'est que pour quelques minutes. Cela vous changera les idées et coupera le rythme de la journée.

Prenez une pause le temps que je vous raconte

Certaines compagnies gardent des résumés de voyages d'affaires durant une dizaine d'années, ce qui n'est pas nécessaire pour les impôts. En épluchant des dossiers pour une compagnie de marketing, j'ai pu recycler 3 pieds de papier réutilisable pour les imprimantes, deux boîtes de trombones et de pinces à dossiers, des chemises, mais j'ai aussi trouvé un chèque non encaissé ! La « perle » au fond du classeur. Finalement, mon service leur a rapporté plus que leur déboursé. Solution gagnant-gagnant !

Poignée de porte : ne pas déranger

Écrire le message voulu. Photocopier ce décalque sur un papier rigide, découper et enfiler à une poignée de porte.

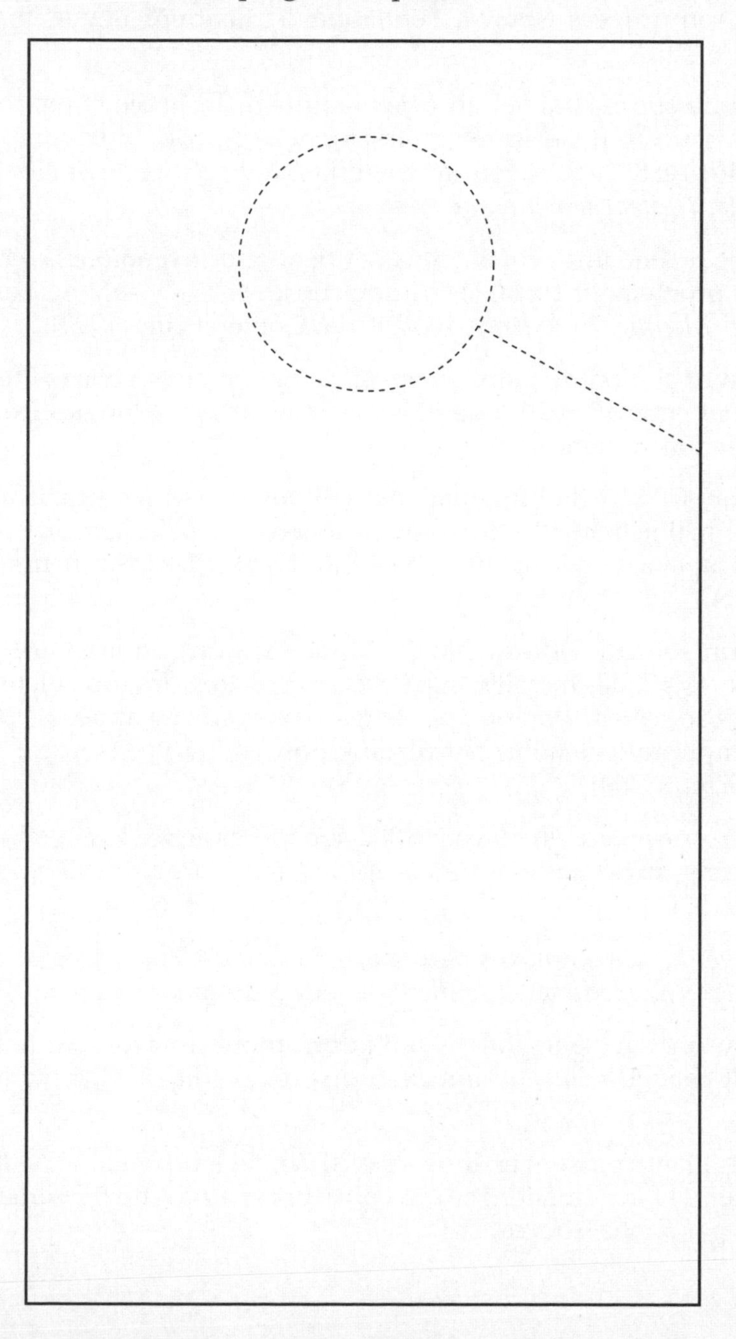

Statistiques

Au début du siècle, près de 7 % des gens gagnaient leur vie avec leur cerveau. Aujourd'hui, le taux est passé à 75 %. L'excellence et la performance sont exigées (source : Fondation de l'entrepreneurship, janvier 2002).

Une étude publiée par le Carnegie Institute of Technology rapporte que 15 % du succès financier et professionnel sont dus aux compétences techniques et 85 % au savoir-faire interpersonnel (source : Skillpath, *How to become a better communicator seminar*).

90 % des répondants avouent rêvasser pendant les réunions ; 70 % en ont parfois profité pour travailler à autre chose ; 40 % s'y sont déjà assoupis (source : *Meetings in America*, WorldCom Conferencing, 1998).

La pauvre gestion de votre temps et de vos papiers vous coûte monétairement entre 15 et 20 % de plus mensuellement, selon des experts en organisation du temps.

Selon un rapport de l'International Labour Office, les Américains travaillent maintenant 2000 heures par année, soit deux semaines de plus que les Japonais, anciennement reconnus comme les travailleurs les plus vaillants.

Selon un sondage effectué en 2001 par l'Institut de la Statistique du Québec, 41,4 % des travailleurs québecois et 40,8 % des travailleuses québecoises se sentent « pressés par le temps » et affirment ne pas parvenir à accomplir tout ce qu'ils ont planifié pour la journée (source : Affaires Plus, Octobre 2001).

Une personne passe en moyenne 302 heures par année à écouter les messages enregistrés dans sa boîte vocale ou à répondre à son téléavertisseur (source : IBT).

En moyenne, les employés perdent 5,1 % d'heures par semaine à tenter de comprendre le fonctionnement de leur ordinateur (source : IBT).

En moyenne, une personne se fait interrompre trois fois par heure et il lui faut chaque fois sept minutes pour redevenir productive (source : IBT).

Les cols blancs passent en moyenne 10,7 % de leur semaine de travail à chercher de l'information, ce qui correspond à plus de 5,5 semaines de travail par année (source : IBT).

Vingt minutes de planification sauvent une heure du temps d'exécution (source : Day-Timer).

Privilégiez la lecture de livres de psychologie et de philosophie, plutôt que de livres de management, puisque la connaissance de soi est la clé du succès (source : Affaires Plus, Octobre 2001, *Réussir à gérer son temps*, Guylaine Boucher).

26 % des répondants, du sondage national mené aux États-Unis par le Hilton Time Value Project, étaient en accord avec l'énoncé suivant : « Je me considère comme un bourreau de travail. »

Sites Web

www.ibt-pep.com

IBT veut dire Institute for Business Technology. Ils offrent un programme de productivité et d'efficacité personnalisé (PEP).

www.alce.ca

À la Carte Express est un service de livraison de repas venant de plus d'une centaine de restaurants de la région de Montréal. Commandez en ligne ou par téléphone au 514-933-7000.

www.pendaflex.com

Vous trouverez deux documents gratuits à télécharger pour vous aider à faire du classement efficace avec les bons outils. Ces documents sont ciblés autant pour ceux qui aiment empiler que pour ceux qui aiment tout classer. De plus, en devenant membre du club *I hate filing* (cliquez sur le lien dans la barre d'outils), vous pourrez échanger des idées et des solutions à vos questions de classement.

www.iwillfollow.com/email.htm

Site spécialisé en étiquette de courriels.

www.w3.org/Provider/Style/Etiquette.html

Site spécialisé en étiquette du Web.

Vos notes

Chapitre 3
Guide de survie à la maison

La maison est le pivot de nos vies. Certains jours elle ressemble à une gare ferroviaire où l'on ne fait que passer, d'autres à un centre de production et d'autres encore à un fourre-tout en attente de meilleurs jours.

Les idées suivantes deviendront votre nouveau coffre d'outils pour mieux gérer cet environnement. Comme son cœur est souvent la cuisine, j'y ai regroupé mes meilleurs trucs suivis de suggestions reliées à la famille.

Pour des départs plus calmes, prévoyez un plateau ou un panier vide-poches à l'entrée de votre demeure. Ce lieu deviendra l'endroit où vous laisserez systématiquement clés, monnaie, porte-monnaie, cartes, etc.

Que faire si vous avez 5 minutes : au choix

- Vous prenez un rendez-vous
- Vous arrosez quelques plantes
- Vous constituez une liste d'épicerie (voir la liste d'emplettes à la fin de ce chapitre)
- Vous triez le courrier du jour

Que faire si vous avez 10 minutes : au choix

- Vous étendez une brassée de linge sur la corde
- Vous procédez à des redressements assis
- Vous effectuez un petit ménage de votre réfrigérateur
- Vous réalisez un bord de jupe ou de pantalons à la main.

Que faire si vous avez 30 minutes : au choix

- Vous triez les revues qui traînent, gardez seulement les articles qui vous intéressent et organisez-les par sujet dans un dossier « à lire ».
- Vous passez l'aspirateur dans 3 pièces.
- Vous lavez les vitres intérieures de 2-3 pièces.
- Vous mettez les vêtements hors saison dans une boîte identifiée à chaque membre de la famille et l'entreposez dans un endroit approprié (+ 10 minutes). Identifiez le contenu de chaque boîte. Par exemple : Yves/ sports d'été.

Une petite horloge dans la salle de bains vous rassurera sur le temps qui passe pendant votre toilette du matin.

Où est le bouchon du tube à dentifrice ? Sur le tube, quoi ! Plus de chicane pour prendre cette difficile habitude pour certains(e)s. Procurez-vous une marque de dentifrice ayant un capuchon refermable (tel le fameux capuchon ketchup de marque connue).

Enregistrez vos émissions préférées et écoutez-les sans commerciaux. Une émission d'une demi-heure dure en réalité environ 22 minutes. Huit minutes sont ainsi récupérées.

Deux heures pour accomplir toutes vos courses, c'est possible avec une stratégie gagnante.

- Visualisez les lieux à visiter et préparez un trajet efficace pour vous sauver des pas et des tracas.
- Jugez de la pertinence de chaque arrêt. Est-ce que certains pourraient attendre la semaine prochaine ?
- Déléguez les tâches avec les membres de votre famille, si possible.
- Allez au supermarché avant 11 h 00 les samedis ou en soirée les jours de semaine. Gardez à l'esprit que les arrivages de marchandises se font en début de semaine et que les articles en solde peuvent ne plus être disponibles le samedi.

- Si vous avez plusieurs arrêts prévus en plus de l'épicerie, essayez de placer l'épicerie en dernier pour ne pas altérer la qualité de vos aliments frais ou congelés. Si ce n'est pas possible, emballez les produits congelés ou froids ensemble et glissez-y des contenants réfrigérants pour les garder au frais jusqu'au retour à la maison.

Les repas

Créez un livre ou un cartable de recettes favorites (celles dont on ne se lasse jamais), insérez chacune dans un protège-feuille afin de les garder lisibles le plus longtemps possible. Présenter-les dans l'ordre de consommation : soit les entrées suivies des soupes, des plats d'accompagnement, des plats principaux, puis des desserts et des collations.

Lorsque vous préparez une recette, mitonnez-en un peu plus et congelez le surplus divisé en portions prêtes à servir. Je vous invite à prendre connaissance de mes recettes favorites prêtes en deux temps, trois mouvements à la fin de ce chapitre.

Cuisinez une fois par mois. Avec vos recettes favorites en main, des petits sacs en plastique pour congélateur et un peu de temps, vous pouvez facilement concocter une dizaine de recettes en une fin de semaine. Organisez votre journée : préparez la liste des recettes retenues et des produits à se procurer. Commencez par la recette la plus longue (c'est motivant), ou apprêtez la préparation de deux ou trois recettes qui requièrent le même temps de cuisson et la même température et les cuire ensemble. Avant de diviser vos recettes en portions, bien refroidir le tout. Et gâtez-vous un peu, allez au restaurant ce soir là, ça vous changera. Si cette tâche est trop fastidieuse, ne préparez que 2-3 recettes, vous serez déjà en avance pour les repas du soir de la semaine suivante. Vous confectionnez des plats pour le mois mais vous allez manquer d'espace de comptoir pour laisser refroidir vos mets cuisinés ? Pensez aux dessus de votre lessiveuse et de votre sécheuse. Toujours en manque d'espace ? Ouvrez la planche à repasser et le tour est joué. Le livre *Once A Month cooking*, de Mary Beth Lagerborg et Mimi Wilson, vous aidera dans cette activité.

Préparez les menus à l'avance. Oui mais... je n'ai pas le temps. Ah ! Mais oui vous l'avez. Avant d'aller au supermarché, ayez déjà en tête ce que vous allez manger tous les soirs de la semaine. Affichez-le sur le frigo. Demandez l'avis des gens avec qui vous vivez, même aux enfants. Ils ont de bonnes idées. Vous allez moins dépenser et être plus calme le soir en arrivant à la maison si vous savez déjà que ce soir, c'est le poulet au citron avec une salade de tomates, par exemple.

Découragé à la vue de toutes ces recettes découpées que vous gardez depuis 5, 10, 20 ans ? Ne les déménagez plus. Si vous n'avez pas eu le temps de les faire au moins deux fois chacune, jetez-les. Faites ce tri debout, vous serez alors plus expéditif et intraitable.

Pour ne plus chercher la méthode de cuisson des céréales (riz, lentilles, semoule, millet, etc.), gardez-la au revers de la porte du garde-manger. Un tableau de cuisson des céréales est disponible sur le site Web suivant : www.issynature.com/pcereal.html.

Mettez la table en incluant les éléments non périssables ou préparez votre plateau à déjeuner le soir, afin de profiter pleinement de votre petit-déjeuner au matin.

Il n'est pas nécessaire d'utiliser du savon lorsqu'on lave la vaisselle n'ayant pas été en contact avec un corps gras, une eau chaude suffira.

Cuisinière

Utilisez toujours une minuterie pour la cuisson au four. Si plus d'un plat doit cuire à la même température, minutez le plat prenant le moins de temps en premier puis soustrayez le temps déjà consommé pour minuter le second plat.

Lors de repas qui ne pressent pas… Réchauffez les assiettes à 100 °C de 5 à 10 minutes avant de servir. Les mets demeureront chauds plus longtemps dans les assiettes.

Il n'est pas nécessaire de préchauffer le four 20 minutes à l'avance. N'allumez le four que lorsque tous les ingrédients sont sortis. Les cuisinières d'aujourd'hui sont plus performantes et requièrent moins de temps de préchauffage.

Des ciseaux dans la cuisine ! Oui, pour couper les fines herbes et les tomates en boîtes. Versez les tomates dans une grande tasse à mesurer et coupez. Cela évite les éclaboussures et une lessive spéciale pour les taches.

Munissez-vous de sacs refermables pour le congélateur (formats moyen et grand) style Ziploc. Ils sont plus robustes que les sacs ordinaires et sont aussi réutilisables. Il suffit de les laver. Toutefois, il est recommandé de jeter les sacs qui ont été souillés par la viande et le gras pour éviter la contamination.

Pour ranger plus de nourriture dans le congélateur, placez-y des supports en métal plastifié. Vous aurez facilement accès aux plats. Identifiez les plats cuisinés avec la date de préparation. Plus la date est éloignée du jour, plus ces plats devraient être à l'avant afin qu'ils soient consommés en premier.

Vous ne savez plus quoi faire de vos sacs d'épicerie en plastique ? J'effectue maintenant mes courses avec un sac réutilisable muni de poignées confortables comme les Européens le font depuis belle lurette. Ces sacs robustes sont en vente dans la majorité des supermarchés. De plus, je garde toujours un fourre-tout dans mon sac à main. Un achat de dernière minute évite ainsi l'accumulation de sacs encombrants.

Liste des recettes et liste d'emplettes

Si vous affichez une liste des recettes de la semaine comme celle que vous trouverez à la fin de ce chapitre, près de votre liste d'emplettes, vous saurez exactement quels articles cocher lorsqu'ils seront manquants.

La liste d'emplettes, proposée ensuite, a été créée en fonction des allées de produits dans la majorité des supermarchés. Vous avez peut-être remarqué que les aliments périssables sont toujours en périphérie et que les conserves et les sucreries sont logées dans les rangées centrales.

Plus votre liste d'achats sera précise, moins de temps vous passerez dans le magasin et plus vous économiserez. Pour faire vos emplettes efficacement et rapidement : photocopiez la liste puis cochez les items manquants et apportez-la avec vous au supermarché.

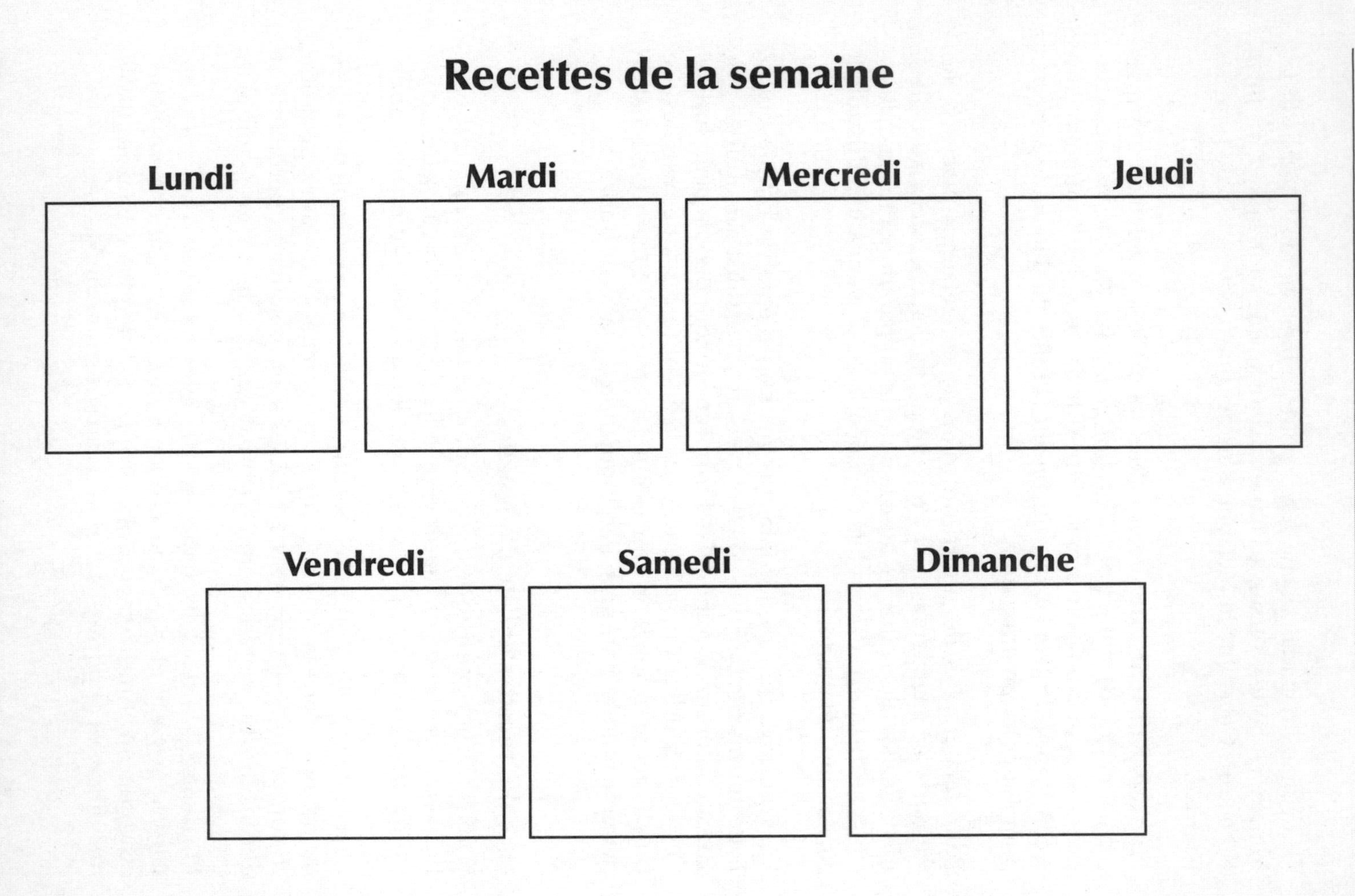

Recettes de la semaine

Lundi

Mardi

Mercredi

Jeudi

Vendredi

Samedi

Dimanche

Fruits

Banane
Pêche
Poire
Orange
Raisin

____
____

Légumes

Ail
Brocoli
Carotte
Champignon
Concombre
Laitue
Oignon
Patate
Poivron
Zucchini

____
____

Pâtisseries

Beignet
Croissant
Muffin
Pain
Tarte
Gâteau

____
____

Breuvages

Eau
Café
Jus
Soda
Thé/Tisane

____
____

Pâtes

Spaghetti
Macaroni

____
____

Produits laitiers

Beurre
Marg. Crème
Fromage
Lait
Yogourt

____
____

Viandes/Poisson

Bacon
Bœuf
Poisson
Poulet
Porc
Saucisse

____
____

Deli

Fromage
Jambon
Salade
Œufs

____
____

Épices

Poivre
Sel

____
____

Produits congelés

Crème glacée
Crêpes
Frites
Légumes
Pizza
Repas santé

____
____
____
____

Condiments

Confiture
Cornichon
Ketchup
Mayonnaise
Miel
Moutarde

____
____
____
____

Céréales

____
____
____
____

Végétarien

Houmous
Lait de soya
Tofu

____
____
____
____

Essentiels de cuisine

Bicarbonate de soude
Poudre à pâte
Farine
Huile
Sucre
Vanille
Vinaigre
Sacs réutilisables
Papier d'aluminium
Sacs à poubelle

____
____
____

Conserves

Fruits
Légumes
Légumineuses
Poisson
Sauce
Soupe

____
____

Collations

Barres santé
Biscuits
Chips
Craquelins
Pop-corn
Noix
Raisins secs
Trempette

____
____

Toilette

Dentifrice
Déodorant
Lotion
Rasoir
Savon
Soie dentaire
Shampooing
Papier mouchoir
Papier hygiénique

Oups! j'oubliais

____
____
____
____
____
____
____
____
____
____
____

Trucs d'entreposage des aliments

Légumes :

Fines herbes : au frigo, les pieds dans l'eau, capuchonnés d'un sac à légumes.

Champignons : au frigo, jamais dans un emballage plastique, optez plutôt pour un sac de papier brun.

Céleri : au frigo, les pieds dans l'eau, dans un vase à fleurs.

Salade : au frigo, préférablement dans un sac à légumes.

Carottes : ne jamais entreposer dans un espace hermétique sinon la carotte germera. Misez plutôt sur un sac à légumes à petits trous. Placez-les dans un tiroir pour la verdure. Si la carotte a un goût amer, c'est qu'elle a dépassé les trois mois d'entreposage et qu'elle a perdu ses sucres naturels.

Patates : évitez de les ranger dans le frigo. Ces tubercules tendent à germer dès qu'ils sont dans un endroit humide.

Fruits :

Raisins : garder dans un sac à gros trous, au frigo.

Bananes et tomates : mûriront bien à la noirceur dans un sac de papier brun, au sec.

Aliments protéinés :

Garder les œufs avec le gros bout sur le dessus dans leur boîte d'achat. Éviter de les ranger dans la porte du frigo, ils garderont leur fraîcheur plus longtemps au centre de l'appareil ou dans un tiroir où la température est maintenue. Il en va de même pour les produits qui sont ouverts comme les sacs de viandes froides, les produits laitiers, les jus et produits non commerciaux.

Comme les produits laitiers absorbent facilement les odeurs, il sera sage de les tenir éloignés des produits qui dégagent des odeurs fortes comme l'ail, le navet et l'échalote.

Consommation rapide à conserver au réfrigérateur :

Légumes et fruits frais – une semaine
Viande fraîche – 2 à 5 jours

Au congélateur :

Vous ferez des économies substantielles en blanchissant les légumes (ce procédé rend inactives les enzymes qui autrement altèreraient les aliments). Congeler les petits fruits sur une plaque à biscuits puis placez-les dans des sacs pour congélation. Inscrivez la date de congélation sur chaque sac. La conservation s'étendra de 10 à 12 mois. Pour éviter la couche de glace qui se forme sur la crème glacée et autres aliments, posez un film plastique ou un papier ciré sur le dessus du produit. La décongélation se fera au frigo pendant 24 heures ou au micro-ondes.

Dans un garde-manger :

Un an

Conserve – café instantané – lait écrémé en poudre – soda à pâte – poudre à pâte – levure pour machine à pain – mélange à gâteaux

Pâte alimentaire sèche – semoule – riz blanc – légumineuse sèche

Huile végétale – moutarde préparée – olive – fines herbes séchées

Noix en écale – fruits séchés

Sirop d'érable – sirop de maïs

Six mois à un an

Céréale prête à servir ou de type granola – gruau d'avoine – riz brun – craquelins
Cacao - chocolat pour cuisson
Substitut de crème à café – thé en feuilles

Les substituts en cuisine

1 tasse de babeurre	1 tasse de lait de soya et 2 c. à thé de jus de citron
1/2 tasse de beurre	1/2 tasse de compote de pommes (pour les desserts seulement)
1 tasse de sucre	1/2 tasse de miel (réduire l'apport de liquide demandé dans la recette de 1/4 de tasse pour chaque 1/2 tasse de miel).
1 tasse de lait	1/2 tasse de lait condensé et 1/2 tasse d'eau
1/2 tasse de son de blé	1/2 tasse de son de riz
1 tasse de flocons de blé	1 tasse de flocons de seigle ou de soya
1 tasse de farine à pâtisserie	1 tasse de farine à pain moins 2 c. à table
1 tasse de farine de blé	1 tasse de farine de maïs ou 7/8 de tasse de farine de riz et 1 c. à table de fécule de pommes de terre
1 jaune d'œuf	1 c. à soupe de beurre d'amande et 1/2 c. à thé de jus de citron
1 c. à table de poudre à pâte	1/2 c. à table de bicarbonate de soude (soda), 1/2 c. à table de crème de tartre et 1/4 de c. à table de fécule de maïs.
1 c. à table de sel	1 c. à table de sel de mer
1 c. à table de jus de citron	1 c. à table de vinaigre blanc

Mes recettes « deux temps, trois mouvements »

Crème de légumes à la coriandre

4 tasses de bouillon de poulet maison ou du commerce
4 tasses de légumes coupés en morceaux grossiers (ex: poireaux et patates ou courge et oignons ou brocoli et gros oignon)
Coriandre fraîche (un bouquet complet)
Ail, sel, poivre au goût
Crème (facultative)

Cuire les légumes dans le bouillon de poulet jusqu'à tendreté. Ajouter la coriandre coupée en morceaux (préférablement seulement les feuilles) à la fin de la cuisson. Assaisonner. Passer le tout au robot jusqu'à l'obtention d'un produit crémeux.

Servir immédiatement. Excellente réchauffée.

Petits pâtés à la dinde hachée

1 1/2 lb dinde hachée
10 champignons coupés en petits morceaux
1 œuf
La chair d'une tomate (sans le jus ni les graines)
1/2 oignon coupé finement

Mélanger tous les ingrédients

Graisser des moules à muffins

Remplir les moules jusqu'au bord

Cuisson: 20 minutes à 350 °F

Donne 6-8 pâtés

Excellent pour les lunchs chauds.

Poulet à l'ananas Olala !

4 morceaux de poulet sans peau
(cuisse et dos ou suprême de poulet)
1/2 tasse de vin blanc (facultatif)
Jus d'ananas : assez pour égaliser le poulet

Placer le poulet dans un plat allant au four.
Ajouter le reste des ingrédients. Cuisson : 1 h 30 à 350 °F

Les sucres du jus donneront une tendreté et un goût sublime au poulet. Le jus de cuisson devient une sauce d'accompagnement que l'on peut napper sur des pommes de terre mousseline.

Pain de Viande

400 g/2 livres bœuf haché mi-maigre
1 tasse sauce aux tomates pour pâte aux courges et champignons
1/2 tasse chapelure
1 œuf
2 gousses d'ail émincées
1 c. à t. herbes de Provence
Poivre et sel

Bien mélanger la viande avec les autres ingrédients.

Verser dans un plat à pain rectangulaire.

Placer le plat au four à 350° F et cuire 1 heure.

Laisser reposer 10 minutes avant de démouler.

Donne 4 portions.

Chili con carne express

1 boîte haricots rouges, rincés et égouttés
1 boîte tomates en morceaux et leurs jus
1/4 tasse maïs en grains congelés
1/4 tasse sauce chili (facultative)
1 1/2 tasse de bœuf haché cuit avec un oignon moyen haché
1 c. à s. cumin, origan, basilic, flocons de chili séché

Mettre tous les ingrédients dans une grande casserole. Bien mélanger. Réchauffer. Servir.

Confit d'oignons

(Accompagne toutes les viandes et les saucisses : le dimanche comme la semaine)

5 gros oignons
Un peu d'huile
20 ml eau
45 ml cassonade ou sucre Turbinado
60 ml raisins secs
35 ml vinaigre balsamique
30 g huile canola ou olive
4 pincées d'épices à bruchetta
2 pincées de sel de mer

Couper les oignons en grandes lanières.
Rôtir ceux-ci dans un peu d'huile pendant 25 minutes sur feu moyen.

Mélanger le reste des ingrédients ensemble pour créer l'assaisonnement. Lorsque que les oignons sont bien dorés, retirer du feu et bien les incorporer à l'assaisonnement. Laisser refroidir avant de mettre en pot. Très apprécié en cadeau.

Frites maison

1 grosse patate sucrée ou un navet
2 grosses pommes de terre rouges ou blanches
Huile d'olive

Accompagnement : mayonnaise, trempette aux légumes, curcuma, poivre.

Couper les légumes en bâtonnets de 1/2 pouce d'épaisseur et de largeur.

Mettre dans un bol et enrobez-les d'huile

Déposer sur une tôle à biscuits recouverte d'un papier parchemin

Cuire à 350 °F environ une heure ou jusqu'à ce qu'elles soient dorées. Secouer à la mi-cuisson afin de les retourner.

Mélanger le reste des ingrédients pour l'accompagnement (Ça change du ketchup !)

Donne deux portions

Sorbet maison

300 ml petits fruits congelés
1/3 tasse fructose
1/2 citron (jus seulement)
2 blancs d'œufs

Mélanger tous les ingrédients dans un robot jusqu'à homogénéité.

Transférer dans un récipient de plastique et remettre au congélateur si vous pouvez y résister.

Donne 4 portions

Un petit extra lors du service : verser sur le sorbet une crème de cassis et piquer d'une feuille de menthe.

Glace à l'ananas et à la lime

1 1/4 tasse purée d'ananas ou 8 rondelles en conserve
1 c. à table zeste de lime ou de citron
1 blanc d'œuf
50 ml jus d'ananas
15 ml fructose

Dans un bol, mélanger au pied mélangeur tous les ingrédients. Si vous utilisez un ananas frais, la partie du bas (la base) est la plus sucrée. L'ananas en conserve donne au mélange une texture plus lisse.

Mettre dans un pot hermétique allant au congélateur.

Congeler environ 3 heures

Conserver au congélateur jusqu'au service

Variation: pêche ou poire et jus d'orange.

Truc: pour peler la pêche sans en enlever la chair, blanchir le fruit trente secondes. La peau glissera sur votre couteau économe comme de la soie.

Attention: selon l'enquête sur le jus de citron présentée à l'émission *L'Épicerie* de Radio-Canada, les jus de citron offerts dans des petits contenants de plastique ressemblant à un citron ou une lime ne contiendraient aucune vitamine C.

Brownies décadents au fromage

1 paquet de 900 g d'un mélange à brownies du commerce
250 g fromage à la crème à la température de la pièce
1 c. à thé d'extrait de vanille
1 jaune d'œuf
1/2 tasse de noix broyées (amandes, avelines) facultatif

Préparer le mélange du commerce tel qu'indiqué sur l'emballage.

Mélanger le reste des ingrédients ensemble jusqu'à une texture homogène et lisse.

Dans un moule 9 x 12 graissé, étendre la moitié du mélange du commerce.

Mettre la moitié du mélange de fromage à la cuillère et étaler sur toute la surface.

Recouvrir du mélange du commerce restant puis déposer à la cuillère le mélange de fromage.

À l'aide d'un couteau, faire des S dans le mélange pour créer un effet marbré.

Cuire selon les indications sur l'emballage du commerce.

Crêpe sans gluten

1 tasse (moins une c. à table) farine de riz
1 c. à table fécule de pomme de terre
1 tasse lait
1 c. à thé huile
1 c. à table poudre à pâte sans alun
1 œuf (gros)
Sel (au goût)

Mesurer la farine sans la tasser.

Mélanger tous les ingrédients au fouet jusqu'à une texture lisse sans grumeau (la fécule de pomme de terre tend à créer des grumeaux)

Cuire à feu moyen vif dans un poêlon huilé.

Donne 4 petites crêpes minces.

Servir avec du sirop d'érable au petit-déjeuner, avec un pâté végétarien à tartiner au lunch ou encore avec des fruits et une costarde comme dessert.

La famille

Boulot – garderie – souper – devoir – bain – dodo – boulot... Au secours ! Voici des idées lancées à la volée pour mieux s'entendre dans la maisonnée.

Temps en famille

Pour ne plus chercher l'horaire de la piscine et de la bibliothèque, l'horaire scolaire, les numéros de téléphone d'urgence, créer un cartable familial. Il contiendra toutes les informations pour mener à bien les activités de la maisonnée. Il vous simplifiera la vie car tous les papiers importants seront à un endroit stratégique.

Les routines familiales peuvent aussi être intégrées à ce document. Voici quelques exemples de routines : le bain quotidien, comment réagir en cas d'incendie, comment préparer une brassée de lessive, comment ranger sa chambre.

Prenez au moins un repas familial à table par semaine. Au Québec, 45 % des enfants soupent seuls devant la télévision à tous les soirs.

Rassembler tous les membres de votre maisonnée une fois la semaine pour une réunion de famille. Établissez un temps fixe pour cette rencontre. Une demi-heure suffit pour discuter de ce qui se passe dans la vie de chacun. Tous auront le droit de parole. Décidez des activités à venir, la préparation des repas de la semaine suivante, le calendrier scolaire, etc.

Comment se faire aider dans les tâches ménagères ?

Près de 40 % des femmes vivant en couple considèrent que les hommes font moins que leur juste part de travaux ménagers. Malaise ! Messieurs, lisez bien ce qui suit.

Qu'ils en soient conscients ou non, les femmes et les hommes tiennent un pointage des bons coups de leur conjoint. Les femmes donnent beaucoup plus de points pour les petits gestes et les hommes ont tendance à croire qu'en achetant un bijou ou en réalisant un grand coup, ils vont amasser une flopée de points. Erreur messieurs. Cela ne compte que pour un point dans l'esprit des femmes. Mais si vous acceptez de jouer le jeu du pointage, vous serez gagnants à bien des égards. Toutes les petites tâches essentielles au bon roulement d'une maison comptent. Laver la vaisselle, activer une brassée de lessive, passer le balai, mettre la table, éplucher les patates, etc., comptent pour un point chacun parce que nous, les femmes, nous les comptons ainsi. Réjouissez-vous messieurs, votre heure de gloire approche. Assoyez-vous avec votre partenaire et discutez des suggestions suivantes.

Un remue-méninges en règle. Quelles tâches sont à effectuer ? Énumérer, par écrit, les étapes pour chacune d'entre elles. De quelles façons pourraient-elles être mieux exécutées ? Les hommes apprécient lorsqu'ils peuvent sauver du temps d'exécution. Avec quelles tâches ressentez-vous plus d'affinités ou de répulsion et pourquoi ? Référez-vous à la liste des Grands Oubliés du Ménage du chapitre 5 pour pousser le jeu encore plus loin. Affichez un aide-mémoire des tâches de chacun dans un endroit stratégique. Pour les tâches que personne ne veut accomplir sur une base régulière, décidez de les accomplir en même temps avec une minuterie à l'appui et une bonne musique de fond, par exemple.

Soyez flexible. Offrez des options telles que : veux-tu t'occuper du lavage ou passer la balayeuse, veux-tu tondre le gazon ou laver les autos ?

Joignez le geste à la parole. N'exprimez plus de promesse en l'air. Joignez le geste (la tâche à effectuer) à la parole (je m'engage à m'en acquitter). Car il vient un temps où les promesses non tenues engendrent du ressentiment, de la discorde et des critiques.

Acceptez que les tâches soient exécutées différemment. Évitez de repasser derrière lui ou elle pour qu'elles correspondent à votre manière. N'exécutez plus la tâche à sa place. Vous vous dirigerez vers les mêmes problèmes que par le passé.

Remerciez et complimentez. Au lieu d'émettre un commentaire démotivant du genre « il était temps », dites plutôt : « Merci, ton aide fait vraiment une différence. » On a tous besoin de se sentir apprécié et aimé.

Aucune rémunération ne sera remise aux enfants, suggérez plutôt une activité spéciale en famille ou allez au cinéma avec un des parents ou encore planifiez une excursion inusitée durant vos prochaines vacances. Les enfants doivent être intégrés aux responsabilités de la maison pour avoir un sentiment d'appartenance. En retour, ils auront des parents plus calmes qui ont du temps pour les activités en famille.

À partir de 4-5 ans, les enfants peuvent: choisir leurs vêtements, faire leur lit, préparer leur petit-déjeuner, mettre la table, déposer leurs vêtements dans la corbeille à linge, plier des serviettes, remplir le lave-vaisselle et le mettre en marche.

Rien n'aboutira à long terme sans effectuer du renforcement positif à chaque fois. Ils en prendront l'habitude avec le temps. Des rappels seront nécessaires. Quant aux adolescents, ils doivent avoir été entraînés jeunes afin de collaborer. Ils peuvent se charger de la liste pour les enfants énumérée ci-haut en plus de gérer leurs activités parascolaires et leur agenda, compléter une tâche ménagère par semaine et préparer au moins un repas familial par semaine.

Un revirement de situation est possible. Bon ménage en équipe. Si toutefois rien ne va plus, si aucune entente n'est possible, je vous suggère d'appeler un service d'aide ménager.

Jouets

En moyenne, les enfants ont 70 % trop de jouets à leur portée. Demandez à chaque enfant de choisir les jouets pour lesquels ils n'ont plus d'intérêt. Nettoyez-les et remettez-les à une œuvre de charité. Vous pouvez aussi concocter des échanges ou des prêts de jouets entre familles ou voisins. Vérifiez toutefois, s'ils sont tous sécuritaires.

Toujours essoufflé ?

Si vos courses du samedi s'éternisent jusqu'au dimanche après-midi, voici quelques solutions pratiques pour vous, gens débordés ou pressés. Vous devrez toutefois sortir votre chéquier pour ces services. Prenez note que je ne reçois aucune commission pour la mention des compagnies suivantes qui sont inscrites à titre indicatif seulement.

Nourriture et accompagnements

1. Achats de denrées au même prix qu'en magasin suivant les mêmes aubaines annoncées dans la circulaire. Une commande de 35$ minimum est exigée. www.iga.net

2. Devenez membre d'une ferme biologique et recevez un panier de produits biologiques une fois la semaine pendant au moins 8 semaines. Pour trouver la ferme la plus près de chez vous, cliquez au www.equiterre.org.

3. Achetez vos repas préparés maison chez votre traiteur ou chef préféré. Ce genre de service est de plus en plus répandu dans les grands centres. Pour Montréal et ses environs communiquez avec www.hireachef.com.

4. La Société des alcools du Québec livre par le biais de Postes Canada vos commandes de vins et spiritueux et assume la moitié des frais de livraison. www.saq.com

Médicaments sur ordonnances

Appeler votre pharmacien pour renouveler votre ordonnance. Il la livrera habituellement sans frais.

Nul en technologie ?

La lecture des manuels d'instructions de vos appareils électroniques vous fait grimper dans les rideaux ? Des spécialistes viennent brancher vos casse-tête chez vous.

Docteur cinéma maison, tél. : 450-669-2075.

Bricoleur... pas du tout !

Vous avez une crise d'urticaire lorsque vous regardez vos meubles en kit à assembler ? Vous avez des vis en trop après l'assemblage de votre balançoire, de votre bicyclette ou de votre barbecue ? Ne vous inquiétez plus, les experts de Multi-Assemblage les monteront pour vous. Communiquez avec eux au 514-722-6009.

Plantes d'intérieures en mal d'attention

Vous ne savez pas comment vous occuper d'un yucca ou, encore, vos plantes sont à l'agonie. Le Caméléon vert viendra au secours et se rendra chez vous pour les traiter aux petits soins.

Le Caméléon vert plantes tropicales, tél. : 514-937-2481.

Le ménage !

1. Un service de ménage viendra à la fréquence désirée. Pour trouver un franchisé près de chez vous, cliquez au www.menageaide.com.
2. Des jeunes entrepreneurs étudiants règleront vos projets de peinture en un rien de temps. www.collegepro.com.
3. Vos menus travaux de rénovation ou de réparation seront choses du passé avec un homme de métier. Parcourez vos journaux de quartier ou les tableaux d'affichage de votre supermarché pour en dénicher un près de votre domicile.
4. Un service d'entretien paysagiste se chargera de rendre votre cour et votre parterre resplendissants. Demandez des références de vos voisins sur les services qu'ils reçoivent.

Question fréquente

Mes parents vendent leur résidence pour aller vivre dans une maison de retraite. Comment les aider à garder l'essentiel sans leur donner l'impression qu'ils donnent toutes leurs possessions ?

Cette situation peut être très stressante. Si la décision de quitter leur résidence survient après un décès ou une maladie grave, il est sage de prendre le temps de bien accomplir les choses afin de ne pas les bousculer.

Question fréquente

Ne pas décider pour eux des éléments à garder s'ils ne souffrent pas de maladies débilitantes. S'ils emménagent chez vous, la décision devrait alors être prise de concert en considérant l'espace qu'ils auront à leur disponibilité.

Ils ont probablement un attachement sentimental à certains objets. Soyez délicat avec eux, ne jugez pas leur choix systématiquement. C'est eux qui vivront avec ces objets, pas vous. Les objets fusionnels suivants sont souvent des essentiels à garder : leur chaise favorite, des accessoires personnels comme la brosse à cheveux, le pinceau à rasage, l'album de photos de mariage ou la tasse fétiche.

Si vous êtes pris avec un grand nombre d'objets, je vous suggère un premier tri des objets clones. Gardez seulement l'objet qui a une meilleure valeur marchande et vendez-le au plus offrant. Si un certain nombre d'objets peuvent demeurer dans la famille, cela calmera leurs inquiétudes. L'argent recueilli de la vente des antiquités ou autres objets de valeur pourrait servir à offrir aux parents un voyage rêvé ou plus de confort dans leur nouvelle résidence comme un nouveau téléviseur ou un nouveau matelas.

Trier des photos est un exercice déchirant pour les personnes âgées car ils ont l'impression qu'on leur arrache un bras lorsqu'on leur demande de se départir de ce type de choses. Suggérez-leur l'hypothèse suivante : si un incendie survenait, quelles photos voudraient-ils absolument retrouver et garder ? Jetez tous les doublons ou mettez-les dans une enveloppe à offrir aux petits-enfants comme souvenir de leurs grands parents. Prendre en photo certains objets uniques afin de créer un album souvenir pour toute la famille.

Si vos parents avaient des passe-temps tels que la broderie, l'écriture, des collections de timbres ou autres, permettez-leur de garder quelques exemplaires de leurs plus belles réalisations en créant un montage décoratif dans un boîtier comme on en voit dans les musées. Préférez les plus petits morceaux, question d'espace.

Les vêtements sont une autre chose importante à surveiller. Ils seront en communauté tous les jours de la semaine. Gardez les vêtements les plus propres et jetez les guenilles ou habits de maison qui ont vu de meilleurs jours.

Petit guide de survie en cas de catastrophe

Tremblement de terre, inondation, orage violent, panne d'électricité, déversement de produits toxiques... On n'est jamais entièrement à l'abri de rien. Alors que certaines de ces catastrophes sont prévisibles, d'autres ne le sont pas. Mais pour toutes, il est possible d'en atténuer les contrecoups. Il suffit juste de se préparer à les affronter.

Ce petit guide de survie peut vous aider en cas de catastrophe. Lisez-le. Discutez-en en famille. Et gardez-en une copie dans un endroit connu de tous. Préparez-vous dès aujourd'hui à faire face à toutes sortes de situations d'urgence.

Conseils généraux

Avant une catastrophe

- Préparez une trousse de survie qui devrait répondre aux besoins de la famille pendant au moins trois jours. (Voir les détails plus loin.)

- Organisez un exercice en famille. Apprenez à chacun comment couper l'eau et l'électricité.

- Tenez compte de la météo. Par temps menaçants, évitez la conduite automobile et les activités en plein air.

Pendant une catastrophe

- Les pages blanches de l'annuaire téléphonique comportent une section fournissant une foule de mesures à prendre selon le genre de sinistre auquel on est confronté (inondation, panne d'électricité, tornade, etc.). Ces pages sont reconnaissables par leur bordure rouge. Lisez-les. Conservez-les.

Après une catastrophe

- Écoutez la radio et suivez les directives des responsables des opérations d'urgence.

Petit guide de survie en cas de catastrophe

- N'utilisez le téléphone de maison ou le téléphone portable qu'en cas de nécessité absolue afin de ne pas entraver les efforts des équipes de secours.

Trousse de survie

Lampe de poche et piles (en cas de panne), poste de radio et piles (pour écouter les nouvelles), trousse de premiers soins, bougies et allumettes ou briquet, jeu de clés pour la voiture et argent de poche, documents importants (pièces d'identité, documents personnels), aliments et eau embouteillée, vêtements et chaussures (une rechange de vêtements par personne), couvertures ou sacs de couchage (une couverture ou un sac par personne), papier hygiénique et articles personnels, médicaments, sac à dos ou havresac (pour garder et transporter la trousse de survie), sifflet (au cas où vous auriez besoin d'attirer l'attention), jeu de cartes, jeux de société.

Provisions d'urgence

Eau potable : au moins un litre par adulte par jour.

Conserves : soupes, ragoûts, pâtes, viande, poisson, légumes et fruits, craquelins et biscottes, miel, beurre d'arachides, sel et poivre, café instantané, thé, couteaux, fourchettes, cuillères, verres et assiettes jetables, ouvre-boîte manuel, ouvre-bouteilles, réchaud et combustible (suivez le mode d'emploi du fabricant, n'utilisez jamais de barbecue à l'intérieur et de chaufferettes d'appoint non conformes), allumettes à l'épreuve de l'eau et sacs à ordures de plastique.

Pour bébés et jeunes enfants : couches, biberons, lait en boîte, jouets, crayons à colorier et papier.

Autres membres de la famille : médicaments d'ordonnance, lunettes de rechange.

Animaux : nourriture et jouets.

Prenez une pause le temps que je vous raconte

Une cliente gardait des livres de référence d'un cours qu'elle avait terminé il y a déjà plus de dix ans pour lequel elle payait encore des frais de scolarité même si elle travaillait désormais dans un nouveau domaine. Elle avait de la difficulté à se départir de ces livres malgré qu'ils représentent un échec dans sa vie professionnelle. Je lui dis alors: «Si la première chose que tu vois quand tu entres dans ton bureau est une image d'échec, il y a fort à parier qu'elle mine ton énergie créative et t'empêche d'aller de l'avant.» Nous avons donc enlevé tous les livres qui lui rappelaient de mauvais souvenirs. Puis, elle s'engagea à les remettre à quelqu'un pour qui ils auraient une utilité immédiate. Quelques jours plus tard, elle me confia qu'elle a rencontré quelqu'un qui avait justement besoin de ce genre de références. Elle s'est sentie libéré d'un poids mental et son don l'a motivée à continuer son grand ménage. Retenir des objets qui n'ont plus de valeur utilitaire vous prive de jouir de vos espaces alors qu'ils peuvent servir à d'autres fins dès maintenant.

Statistiques

Sur 478 répondants, 49 % ont déclaré ne pas avoir de téléviseur dans la chambre à coucher (sondage Canadian Living, novembre 2005).

Selon un sondage en ligne effectué en février 2006, les femmes s'occupent des tâches ménagères et des enfants à 65,4 % comparativement à 2,8 % pour les hommes. Seulement 18,5 % des couples partagent également cette tâche (source: site Web PetitMonde.com).

Sites Web

www.trucsmaison.com

Site spécialisé en solutions pratiques pour tous les coins de la maison.

www.cooking.com
Magasin en ligne pour tous les articles de cuisine.

www.checklists.com
Site exclusivement en anglais pour trouver tous les sujets de listes possibles. Pratique.

www.crayola.com/canada
Pour les éducateurs, les parents et bien entendu, les enfants. Plusieurs sections d'activités et de jeux. Surprenant. Exclusivement en anglais.

www.petitmonde.com
Site destiné aux parents. Une manne d'informations pertinentes. Une visite s'impose. Il figure parmi les 15 meilleurs sites de la section « Société » de la Toile du Québec. Plus de 250 000 personnes le visitent à tous les mois.

www.aqaa.qc.ca
Site Web de l'Association québécoise des allergies alimentaires. Vous apprendrez comment vivre avec elles grâce à des trucs, des recettes et des liens Internet.

www.easymealprep.com
Cette association américaine est en train d'envahir le Canada avec ses franchises spécialement conçu pour les familles en manque de temps mais qui veulent manger des repas nutritifs préparés comme à la maison. Vous n'avez qu'à assembler les ingrédients des plats choisis d'une douzaine de recettes disponibles par mois. Assembler et emporter. 90 % de la clientèle américaine sont des femmes dans la quarantaine. Déjà établie en Colombie-Britannique, en Alberta et en Ontario.

www.guidesante.gouv.qc.ca
Portail canadien sur la santé du gouvernement du Canada.

Renseignements utiles.

www.compost.org
Site du Conseil canadien du compostage.

www.clairol.ca

Pour réussir sa coloration maison, Clairol a créé un studio d'essai en ligne. Il suffit de s'inscrire pour connaître les rudiments de la couleur lorsqu'on l'applique chez soi.

www.optionelle.com
Vous désirez plus d'options pour vos achats de vêtements? Une conseillère Optionelle peut présenter la collection designer de vêtements pour dames au domicile d'une hôtesse.

www.intervac.com
Dix mille maisons d'échanges dans 52 pays. Il y a beaucoup de détails à régler avant de confier son domicile à des étrangers

Vos notes

Chapitre 4
S'organiser selon sa personnalité

Il n'y a pas qu'une seule solution pour chaque problème d'organisation. Les solutions doivent s'adapter aussi à votre personnalité et à votre façon d'interagir avec les objets qui vous entourent. Les caractéristiques des personnalités suivantes peuvent vous aider à trouver des solutions et des idées pour faciliter le déroulement de vos journées pour, en bout de ligne, être plus efficace et ordonné.

Questionnaire

Quel type de personnalité suis-je?

Encerclez les réponses qui vous ressemblent le plus. N'y pensez pas trop. La première réponse qui vous vient à l'esprit est votre prédisposition naturelle.

1. Vous préférez les instructions données:

a) de façon verbale

b) par une démonstration visuelle

2. Laquelle de ces attitudes vous ressemblent le plus?

a) logique et organisateur

b) créatif et empathique

3. Gestion du temps
a) Je n'aime pas les changements à l'horaire et j'ai constamment la notion du temps qui me passe à l'esprit.

b) Je ne vois pas le temps passer.

4. Les détails versus le plan d'ensemble

a) J'analyse une situation d'après les détails pour ensuite voir le plan d'ensemble.

b) J'analyse une situation dans son ensemble puis par les détails.

5. On dit de vous :

a) que vous accomplissez vos objectifs et êtes fiable en tout temps.

b) que vous êtes toujours plein d'idées et prenez plus soin des gens que de l'argent.

6. Durant une réunion :

a) Vous êtes le leader avec des idées précises sur les étapes à suivre pour les meilleurs résultats et vous prenez des notes précises pour vos références futures.

b) Vous dessinez des gribouillages pour ne pas vous ennuyer. Vous validez que tous sont confortables et qu'ils ont assez à boire et à manger.

7. Dans une situation normale, vous êtes :

a) analytique

b) intuitif

8. Organisation

a) Vous êtes organisé. Chaque chose a sa maison permanente.

b) Vous êtes désorganisé et chaotique même si vous parvenez à retrouver presque n'importe quel objet.

9. Méthode de travail

a) Vous lisez les instructions en détail pour connaître les étapes à suivre.

b) Vous plongez dans le travail ou la tâche sans vous préoccuper des étapes.

10. Communication

a) Vous utilisez rarement ou peu vos mains lorsque vous parlez.

b) Vous utilisez souvent vos mains lorsque vous parlez.

Conclusion :

Si la majorité de vos réponses sont des A, votre dominance est l'hémisphère gauche.

Si la majorité de vos réponses sont des B, votre dominance est l'hémisphère droit.

Si vos réponses sont partagées, vous utilisez également vos deux hémisphères.

Lisez les caractéristiques des deux hémisphères et implantez les solutions suggérées pour chacune.

____

____

____

Vos notes

Hémisphère gauche : le rationnel

Votre naturel : porté par la logique, ponctuel, tenace, aime les défis, solutionneur, objectif, loyal, perfectionniste, discipliné, gère argent et temps efficacement, planificateur émérite, bon analyste financier, pense de façon stratégique, mathématicien, vif, pratique, préfère travailler seul, voit les différences entre les choses au lieu des similarités, organisateur, mise sur les détails, structuré, pratico-pratique, fiable, sérieux, capable de suivre et de maintenir des procédures et des règlements, capable d'établir ses priorités par une liste d'étapes d'un projet, capable de prévoir la prochaine étape d'un projet, bon négociateur, prend des décisions de façon logique et séquentielle basées sur des techniques ou études éprouvées qui ont des causes à effets, industrieux, routinier, prévoyant, respectueux, ambitieux, centré sur la qualité, responsable, écrit lisiblement, travaille en équipe et méthodiquement, un dirigeant naturel, préfère les structures hiérarchisées et possède une horloge interne hautement efficace.

Éléments à travailler : malheureux s'il y a désorganisation, n'aime pas les surprises, prend son temps pour prendre des décisions, inconfortable sans horaire prédéfini, ne communique pas assez verbalement, tient à ses opinions, critique les autres et lui-même, impatient, exigeant, chigne sur la nouveauté surtout si cela n'a pas été prouvé, difficulté à vivre ses émotions avec les autres, difficulté à travailler avec les autres, porte des jugements, manque de spontanéité, rigide dans la routine, préfère ne pas partager, trop obsessif dans les procédures ou les règlements à suivre, n'aime pas être interrompu, isolé et à l'esprit fermé.

En général : vous êtes un as de la planification, de la préparation et de l'organisation. Les résultats comptent toujours. Communique facilement par l'écrit, aime les débats qui impliquent d'être verbalement impeccable, aime les systèmes bien huilés, aime sauver temps, argent et espace.

Vous allez au bout de chaque projet mais étape par étape. Vous n'aimez pas être brusqué. Les conflits et les malentendus activent votre pulsation cardiaque. Les longues conversations qui s'éternisent vous font soupirer. Vous n'aimez pas que l'on déroge des plans à la dernière minute.

Espace

Vous êtes une personne structurée mais rigide. Les personnes qui partagent votre espace ne devront pas changer des objets de place sans votre approbation. Votre mot d'ordre est une maison pour chaque chose. Vous êtes objectif et analytique en ce qui se rapporte à votre environnement. Vous devez avoir un accès logique à vos objets.

Votre naturel : vous maintenez la ligne dure en étiquetant et en classant avec détails et précision. Vous préférez que les étiquettes s'agencent.

Les éléments à travailler : quand vous devez partager votre espace, acceptez ce changement sans broncher en tenant compte des émotions des autres. Tout est dans la manière de réagir.

Apprenez à être interrompu, à ce qu'on vous demande des choses qui ne sont pas dans vos cordes ou à être artistiquement créatif. Lâchez prise.

Amusez-vous à changer l'arrangement des meubles une fois l'an. Cet exercice pourrait avoir comme résultat un sentiment de légèreté, sans parler de l'effet de nouveauté ainsi créé.

Temps

Le temps est une de vos obsessions. Vous aimez sauver du temps c'est pourquoi vous travaillez dur et avec intensité. Vous avez l'habitude de gérer votre temps et votre argent efficacement. Votre objectif est de compléter vos projets à temps et avec précision en portant une attention aux détails dans un temps spécifique.

Votre naturel : toutes vos actions ont été planifiées dans votre esprit. Vous avez un penchant pour un calendrier où vous pouvez voir les activités du jour et de la semaine facilement, en phase de 15 minutes et ce même les week-ends. Plus c'est précis, mieux ce sera, vous donnant l'impression d'avoir le contrôle sur le temps qui passe. Vous préférez les outils et gadgets électroniques pour votre planification. Vos contacts sont maintenus dans un seul endroit prêt à partir si le besoin se présente.

Les éléments à travailler : utilisez une liste papier pour énumérer les choses à accomplir. Cela libérera votre esprit pour être plus spontané.

Déléguez le plus possible les tâches de mise à jour car vous manquez de patience. L'affichette « Ne pas déranger » est un outil idéal pour vous.

Papier

Vous aimez la paperasse. Vous écrivez beaucoup.

Chaque papier est à sa place et chaque document est placé de façon linéaire.

Les dossiers qui figurent sur votre bureau sont utiles à votre tâche en cours.

Votre naturel : vous le déposez dans un plateau à l'horizontal et le triez lorsque vous êtes rendu à cette étape. Vous avez habituellement un endroit désigné pour le courrier. Vous avez un système de classement classique (classeur, filière, dossier en ordre alphabétique) en place. Les filières sont classées en ordre alphabétique car vous pensez en séquence logique. Vous étiquetez toujours de la même façon avec des mots au lieu d'images. Vous purgez vos documents et chemises périodiquement à une fréquence pré-établie ou lorsque vous ne trouvez pas le fameux papier.

Les éléments à travailler : comme vous êtes un grand consommateur de papier, essayez d'utiliser les deux côtés de la feuille.

Garde-robe

Votre naturel : vous aimez un style fonctionnel, classique, structuré.

Vous gardez les catégories séparées par exemple, les pantalons sont rassemblés.

Chaque tiroir contient des items spécifiques dans un ordre spécifique par grandeur, par style ou par utilisation. Lorsque vous déménagez, vous avez tendance à remettre les choses au même endroit. Par exemple, les bas seront rangés du côté gauche et les dessous du côté droit.

Vous aimez prendre des photos, écrire la date de prise des photos et les ranger avec les négatifs. Vous étiquetez le contenant ou la boîte et les gardez indéfiniment. Vous gardez ce que vous avez besoin dans des contenants fonctionnels.

Les éléments à travailler: vous gardez les souvenirs de vos succès (trophée, plaque, certificats, etc.). Ne conserver que les souvenirs les plus chers et laissez aller les trophées de votre enfance. De toute façon, vous avez eu bien d'autres succès depuis ce temps.

Hémisphère droit : l'intuitif

Vous avez une vue d'ensemble sur les choses et les situations. Vous focalisez sur les gens, les émotions et tout ce qui est relié au bien-être.

Votre naturel: créatif, artistique, sensible, innovateur, inspirant, spirituel, peut parfois accomplir l'impossible, peut assimiler une grande quantité d'informations à la fois, pense par images, apprécie les nouveaux départs, aime et apprécie le changement et la variété, imaginatif (habile à visualiser des concepts et à faire des rêves éveillés), motivateur, entreprenant, aventureux, bon sens de l'humour, solutionneur de problèmes, penseur visionnaire, enthousiaste, désire prendre des risques, peut suggérer des solutions hors du commun, bon improvisateur, peut s'acquitter de 10 choses à la fois, empathique, émotif, crée des liens latéraux et assemble des idées imaginatives et hors du commun, fluide et spontané, encourageant, votre présence est recherchée, concerné, favorise une approche holistique face à l'intégration des informations de la vue d'ensemble vers les détails, ressent les choses profondément, maternel/paternel, humaniste, dévoué, intéressé dans l'évolution personnelle, chaleureux, peut lire les messages/langage non verbal, parle avec les mains, aime manipuler des objets, analyse comment les choses sont dites plutôt que ce qui est dit textuellement.

Les éléments à travailler: manque d'organisation, souvent en retard, facilement distrait, peut devenir trop absorbé par une chose, n'aime pas les règlements sous aucune forme, ses intérêts sont de courte durée, distrait et commet des erreurs, draine son énergie quand il travaille sur des détails et a de la difficulté à terminer une tâche si celle-ci inclut des détails, des structures, des horaires et des choses répétitives, travaille par à-coups, maintenir des systèmes est un défi, difficulté à établir des limites et des priorités, hait les conflits, intolérant devant un travail qui doit se produire lentement, hait la routine, peut déléguer facilement mais a de la difficulté avec les suivis et la gestion du temps car oublie que le temps passe, se perd dans le moment présent, dépendant, sentimental, manque de focus et de structure, soupe au lait, aime la jasette, les conversations, facilement blessé et intimidé, les détails le fatiguent, peur d'être seul, ne s'affirme pas assez.

En général: votre style est d'une approche: tout ou rien. Quand vous faites le ménage, vous êtes comme un maniaque. Vous traitez les informations tellement rapidement que la routine vous ennuie. Vous êtes partout à la fois, éparpillé ou sans horaire. Réagit selon l'émotion du moment. Stimulé par les couleurs.

Ne pas toucher à leurs affaires sans leur permission. Aime le travail de maison.

Espace

Vous êtes très spontané et facilement distrait. Vous vous organisez sporadiquement et par à-coups.

Votre naturel: vous êtes du genre à avoir cinq fenêtres ouvertes sur le bureau de votre ordinateur. Vous gardez sur votre espace de travail des objets au cas où vous en auriez besoin? Préparez une liste des choses à organiser. Ayez tout ce qu'il vous faut avant de commencer (boîtes à donner, à jeter, à recycler, des marqueurs, des sacs de poubelle, etc.) sinon votre attention ira sur une autre activité. Activez la minuterie pour un temps fixe. Offrez-vous une récompense après chaque espace organisé. Il est primordial que ce genre de tâche demeure plaisante. Quand vous décidez de vous organiser, vous êtes hyper concentré, maniaque, vous travaillez rapidement et avez hâte de finir. Vous êtes sensible et désirez créer, où que vous soyez, un environnement calme et accueillant.

Les éléments à travailler: concentrez-vous sur une surface à la fois, lorsque complété, passer à l'étape suivante. Gardez votre surface de travail propre afin que les idées puissent monter. Ajoutez des éléments colorés à votre environnement (trombone, photo, filière, dossier, agenda de couleur, etc.)

Installez un sous-main avec un film transparent pour y glisser des invitations, des photos ou même des petites bandes dessinées.

Favorisez les tablettes plutôt que les classeurs car dans votre cas, l'adage « loin des yeux, loin du cœur » s'applique.

Ayez des photos ou encadrements près de votre bureau pour vous rappeler vos relations affectives. Un support vertical à dossiers avec chemises ayant des étiquettes colorées vous ira bien.

Temps

Vous appréciez connaître la raison pour laquelle vous devez accomplir une chose à un moment précis. Vous questionnez la raison d'être des procédures à suivre. Vraisemblablement, la gestion du temps, c'est travailler à la bonne chose au bon moment.

Votre naturel : la gestion du temps peut être problématique car vous prenez des décisions subjectives plutôt qu'objectives.

Les éléments à travailler : installez une grosse horloge dans chaque lieu où vous passez du temps car vous ne voyez pas le temps passer.

Installez un calendrier attrayant dans un endroit où vous passez du temps. Votre calendrier doit être plaisant et facile à lire. Préférez-le à la verticale et accroché au mur en utilisant des marqueurs ou des notes autocollantes ou aimantées au style amusant.

Si vous passez beaucoup de temps au téléphone, achetez un casque d'écoute, il vous dégagera les mains afin que vous puissiez toucher ou jouer avec des objets autour de vous. Si vous déplacez votre tablette de note pour qu'elle soit un peu plus près du téléphone, cela simplifiera votre vie.

Pour vos horaires : trouvez l'équilibre entre le plaisir et les tâches à accomplir. Trop de rigidité ne vous aidera pas. Prenez l'habitude d'élaborer une liste de choses à accomplir et tenez-vous y. Utilisez un grand cahier à spirale attrayant. Le plus grand sera le mieux pour ne pas le perdre. Comme vous avez un penchant à l'éparpillement, ne composez pas votre liste sur une feuille mobile. Identifiez le temps de la journée où vous êtes le plus énergique. Quels sont les problèmes et les tâches à réaliser aujourd'hui ?

Mes priorités 1, 2 et 3. Référez-vous au chapitre 1 sur les bases en organisation.

Efforcez-vous d'être plus ponctuel. Une minuterie aux couleurs vives est une bonne solution.

Dites non. Prenez soin de vous en premier. Allouez-vous dix minutes par jour pour vous seul.

Vos projets peuvent prendre du retard car vous êtes souvent dérangé par les autres. L'affichette «Ne pas déranger» pourrait vous être très utile lorsque vous devez remettre un travail en peu de temps.

Vous êtes susceptible d'avoir des cartes professionnelles éparpillées partout. Vous devriez avoir un seul endroit pour disposer tous vos contacts. Un cartable à cartes professionnelles ou un carnet d'adresses est préférable. Un carnet digital vous ira bien si vous pouvez imprimer tous vos contacts et qu'ils sont facilement accessibles.

Papier

Votre naturel: vous mettez le courrier sur la première surface plane que vous trouvez. Utilisez un grand bac en osier ou un autre format et rangez-le dans un endroit stratégique. Utilisez un seul endroit pour contenir le courrier entrant.

Un empileur comme vous préfère que tous les articles soient face à lui sinon vous oublierez où ils se trouvent. Munissez-vous de surfaces plates additionnelles pour empiler. Avoir un cahier à spirale (différentes sections d'un même cahier) pour différents aspects de votre vie: projet, liste de choses à faire, idées, etc. Utilisez la technique de l'empilage jusqu'à temps que vous ayez fini ce projet pour ensuite purger le bon de l'inutile et classez-le convenablement dans un dossier étiqueté. Mettez ce dossier dans une grande catégorie facilement repérable. Vous ne pouvez classer durant un projet car vous n'avez pas encore rangé ces idées dans votre esprit. Ce n'est pas un signe de désorganisation mais plutôt un signe de complexité. Vous créez en mode simultané en engendrant des liens entre les projets, et les situations.

Déterminez la différence entre un dossier actif et un dossier de références. Créez un code de couleur pour chacun. (Deux couleurs suffisent.) Mettez le dossier à la verticale.

Vous pouvez décider que le côté droit de votre surface de travail est pour les projets actifs et le côté gauche pour les choses qui sont plus terre à terre comme la facturation ou la rédaction.

L'écran de veille de votre ordinateur devrait afficher des photos de vos enfants ou de votre animal de compagnie. Ils représentent le plaisir, le lien avec les êtres aimés.

Les éléments à travailler: votre but devrait être de classer moins de papier. Mettez les papiers dans une boîte transparente sous le bureau et triez-les deux fois par mois.

Rassemblez tous les contacts en un même lieu.

Avant de commencer tout type de classement, demandez vous :« Où je vais le trouver lorsque j'en aurai besoin ? » Au lieu de « Où devrais-je le classer ? »

Arrêtez de découper des recettes ou des idées provenant des magazines. Cela crée des piles de papiers qui sont rarement dans vos priorités. Si vous vivez avec une personne rationnelle, elle pourrait bien décider de tout jeter ces papiers inutiles.

Purgez en écoutant de la musique ou en regardant un film pour vous stimuler à prendre l'habitude plus fréquemment.

Garde-robe

Votre naturel : conservez les articles, le plus possible, dans votre champ de vision. Utilisez des contenants transparents avec des couvercles pour qu'ils soient empilables ou pour les ranger sur une étagère où ils peuvent être vus et accessibles facilement. Les boîtes peuvent être colorées et identifiées par une étiquette colorée du nom de l'item ou par une photo de l'item sur la boîte.

Vous devez mettre des balises sur la durée de vie de vos objets à garder avant de purger/trier. Pensez en termes de « besoin » versus « désir ».

L'organisation commence au magasin. Le triage peut être un grand défi car vous êtes attaché émotivement à vos souvenirs (dessins, photos, héritage, etc.).

Mais doivent-ils être à la vue 365 jours par an ? Pourriez-vous en sortir seulement quelques-uns tandis que d'autres sont entreposés ? Décidez pourquoi vous devez les garder et pour combien de temps. Par exemple, les vêtements de bébé ou ceux d'un être cher décédé. Vous pourriez confectionner un édredon ou un couvre-pied en patchwork avec des pièces de vêtements qui vous rappellent les meilleurs souvenirs.

Les éléments à travailler : pour les vêtements, préférez les cintres et les crochets. Cela prend moins de temps que de les plier.

Avoir seulement un produit en extra (ne pas acheter en grande quantité dans les magasins à grande surface).

Purgez vos classeurs deux fois l'an (janvier/juillet).

Dès que vous recevez des nouvelles photos : jetez celles qui sont ratées tout de suite.

Si vous recevez trop de magazines, gardez seulement vos abonnement préférés et annulez les autres.

Gardez une seule boîte de dessins de chaque enfant et purgez dès qu'elle commence à déborder.

Ne pas trier ou purger lorsque les enfants sont à la maison.

Un tiroir à la fois, une pièce à la fois. Laissez aller des objets. Procéder petit à petit rendra l'exercice moins douloureux. Vous avez une propension à accumuler du bric-à-brac car il signifie l'abondance et est une forme de sécurité.

- Deux à quatre heures par séance minimum avec un ami (c'est encore mieux)
- Donnez à une œuvre de charité ou à la communauté (voir liste au chapitre premier)
- Dans le doute, jetez

Vêtements de saison demeureront dans la garde-robe principale sinon ils seront remisés ailleurs. Référez-vous à la section du triage de la garde-robe du chapitre 5 (p.114) pour plus de détails.

Référez-vous à la fiche « Combien de temps conserver vos papiers importants ? » au chapitre 1 (p.30) pour trier votre paperasse.

Conclusion

Nous sommes tous un mélange de ces deux types de personnalités. Rien n'est coupé au couteau dans ce domaine. Dans les chapitres suivants, j'élabore les grands thèmes problématiques rencontrés en organisation soient, entre autres, l'espace, le temps, le papier et bien sûr la garde-robe.

Prenez une pause le temps que je vous raconte

Lors d'une consultation avec une cliente, j'ai testé ce procédé d'identification de la personnalité discuté plus haut. Après avoir déterminé son type, elle poussa un soupir de soulagement en disant : « Enfin, quelqu'un qui me comprend ! Peux-tu dire tout ce que tu viens de m'affirmer à mon mari ? Il n'en croira pas ses oreilles. » Lorsque j'ai rencontré le conjoint en question, il me remercia chaudement d'avoir pu rendre leur vie plus agréable par des solutions ciblées.

Sites Web

Sources d'informations et de matériel pour la rédaction de ce chapitre : mes clients, www.brain.web-us.com, www.angelfire.com et www.painting.about.com.

www.pbs.org/wnet/brain
Site du réseau de télévision PBS renfermant une foule d'informations sur la vie secrète du cerveau.

www.braintypes.com
Site très informatif et amusant pour dénicher des informations additionnelles.

Chapitre 5
Le grand ménage

À l'origine, le ménage du printemps avait comme objectif de changer l'énergie stagnante de l'automne et de l'hiver précédents. Aujourd'hui, qui a le temps de s'imposer ce travail systématiquement, à chaque printemps ? La solution est donc de l'incorporer à notre routine au cours de l'année. N'attendez pas au prochain déménagement pour commencer, votre qualité de vie en dépend. Qui sait, peut-être pourriez-vous trouver une perle ?

Qu'est-ce qu'une « perle » ?

Les perles sont des objets que vous découvrez durant votre ménage. Elles ont nécessairement une signification pour vous ou pour un membre de votre famille. Elles peuvent être de natures différentes telles que : un document égaré, des papiers légaux, votre journal intime, un bijou ou un cadeau trop bien caché, des vêtements neufs, de l'argent en devise étrangère ou, encore, un chèque en attente d'être encaissé.

Quatorze choses à éliminer, aujourd'hui !

1. Toute nourriture périmée, dont les épices et les fines herbes de plus d'un an.

2. Brosse à dents de plus de six mois d'usage.

3. Les bas et les boucles d'oreilles qui ont perdu leur jumeau.

4. Les objets clones. Combien avez-vous réellement besoin d'aspirateurs, de grille-pain, de bouilloires ou de râteaux, pour ne nommer que ceux-là ?

5. Les vêtements, sacoches et accessoires qui ne sont plus de votre style.

6. Les souliers, bottes et sandales qui vous font mal aux pieds ou au dos.
7. Les plantes mortes ou à l'agonie.
8. Les objets brisés et irrécupérables.
9. La vieille paperasse : coupons et invitations périmés, journaux de plus de deux jours, magazines de plus de deux mois, calendriers d'années passées, guides touristiques et almanacs de plus de deux ans, vos premiers curriculum vitæ, impôts de plus de cinq ans, garanties d'objets que vous ne possédez plus, etc. Déchiquetez les papiers qui renferment des informations personnelles ou délicates afin de prévenir le vol de votre identité.
10. Peinture sèche. (À remettre à votre municipalité pour une destruction sécuritaire pour l'environnement.)
11. Les petits électroménagers qui ne servent pas.
12. Vos notes de cours et travaux scolaires jaunis et illisibles.
13. Adieu chaise inconfortable, photos et souvenirs douloureux de vos ex-conjoints et vidéocassettes non identifiées.
14. Tout objet que vous n'utilisez pas, qui ramasse de la poussière ou qui vous fait soupirer.

Généralités

Se rappeler qu'un produit désinfectant tue les virus, la moisissure et les bactéries, mais qu'un produit antibactérien ne tue que les bactéries. Lisez bien les étiquettes. Vous éviterez d'éclaboussez des finis délicats en vaporisant le produit sur le chiffon plutôt que directement sur la surface à nettoyer.

Eau de Javel : elle vous rendra bien des services si vous suivez la liste des instructions sur l'étiquette. Cependant, celle-ci est incomplète. Je vous suggère de suivre les recommandations additionnelles suivantes.

- Diluez le produit dans l'eau froide car son action, au contact de la chaleur, est très rapide, d'où le risque d'abîmer vos vêtements.

- N'augmentez pas la quantité du produit en pensant accroître son pouvoir détachant. Il est préférable de prolonger la durée du trempage.

- Rincez abondamment et à plusieurs reprises les vêtements étant demeurés en contact avec l'eau de javel car celle-ci continue son effet même une fois le linge sec.

Choisissez une des tâches suivantes par semaine en vous fixant un temps maximum d'exécution, à l'aide d'une minuterie. Lorsque le temps est écoulé, rangez vos outils de nettoyage et allez vous amuser.

- Lavez les rideaux ou nettoyez-les avec le service rapide d'une journée, disponible chez la majorité des nettoyeurs afin d'éviter de vous réveiller avec le chant du coq pendant une semaine.

- Nettoyez les stores avec le chiffon magique en microfibres. (La description de ce produit est disponible dans le guide d'achats des produits « sauve- temps » p.150.)

Truc

Pour vous faciliter la tâche, laissez les rideaux suspendus et passez l'aspirateur avec l'embout pour meubles et tissus de haut en bas.

- Lavez les planchers de bois franc avec six parts d'eau tiède et une part de vinaigre blanc.

- Lavez le linoléum ou les tuiles avec un produit nettoyant pour plancher du même type.

- Les tapis devront être nettoyés avec une machine à tapis pouvant être louée pour quelques heures ou quelques jours aux supermarchés. Les produits nettoyants pour tapis sont disponibles aux comptoirs de location.

- Lavez les vitres avec un chiffon magique en microfibres mouillé avec de l'eau chaude savonneuse ou pas. Prenez soin de bien assécher les vitres par la suite.

Truc

Pour prévenir l'apparition de buée, appliquez une petite quantité de mousse à raser pour homme sur les miroirs et vitres puis essuyez bien avec un linge ou un essuie-tout sec.

La chambre à coucher

- Balayez ou passez l'aspirateur partout, soit derrière les meubles, jusqu'au fond des garde-robes, sur le dessus des cadres de porte et de fenêtre.

- Lors du changement de saison, passez l'aspirateur sur les matelas. Prenez cette occasion pour les tourner chacun de côté afin de distribuer leur usure ou respecter les instructions du fabricant.

Truc

Truc : gardez les draps d'un ensemble dans une de ses taies d'oreillers. Glissez-y une feuille d'assouplissant pour en conserver la fraîcheur. Rangez loin de la lumière directe.

- Testez vos oreillers une fois par année. Pliez chaque oreiller en deux, sur la longueur. S'il ne rebondit pas, il est temps de le changer (comprendre jeter). Ils ont accumulé assez de bactéries et d'acariens pour pouvoir vous rendre malade. Ceci inclut l'oreiller chouchou de votre enfance.

- Évitez de garder dans ce lieu tout ce qui rappelle le travail ou le paiement de factures, tout ce qui vous rappelle d'anciennes relations, trop de photos d'enfants ou de parents (pour ne pas brimer vos élans amoureux) et les plantes mourantes.

Le salon

- Limitez revues, journaux et périodiques qui s'empilent. En passant, pourquoi les gardez-vous ? Si un article vous intéresse, découpez-le et lisez-le maintenant ou mettez-le dans un dossier « À lire » et jetez le reste.

Truc

Dès que vous recevez un nouveau magazine, périodique ou journal, jetez le dernier exemplaire en main. De cette façon, vous n'aurez jamais de triage monstre à effectuer, tout en maintenant l'ordre.

- Lavez à la machine, au cycle délicat, les toutous de vos animaux de compagnie. Ne pas ajouter d'assouplissant à forte odeur car certains animaux ont un odorat sept fois plus développé que l'humain.

La cuisine

- Si votre cuisine avait un titre, quel serait-il ? Le capharnaüm ? Dû pour un bon ménage ? Quel titre aimeriez-vous qu'elle ait ? Suivez les bases de l'organisation au chapitre premier et procédez aux changements.

- Triez votre coutellerie. Plus de deux ensembles complets de quatre couverts (pour une famille de quatre personnes) crée une perte d'espace. Sélectionnez la coutellerie qui se ressemble et donnez-la à un jeune adulte qui vit en appartement. Donnez-la à un organisme social ou vendez-la lors de votre prochaine vente de garage.

- Procédez au ménage des assiettes, soucoupes, tasses accumulées depuis des lunes. Que dire de votre belle porcelaine, vos nappes de dentelles et votre fin cristal ? Servez-vous-en. Créez des occasions spéciales. Et pourquoi ne pas commencer aujourd'hui !

- Classifiez la vaisselle selon son usage.

1. au quotidien (à proximité du lavabo et du lave-vaisselle)

2. de temps en temps (regroupez sur une tablette plus haute)

3. rarement (entreposez dans un vaisselier ou sur une tablette en hauteur)

- Assemblez ce qui se ressemble. Créez des zones telles que: zone de rangement, zone des produits à pâtisserie, zone café, zone petit-déjeuner, zone collation, etc. La zone collation pour enfants devrait être rangée à leur hauteur pour un accès facile.

- Favorisez les contenants carrés (ils prennent moins d'espace et s'empilent en un rien de temps) et transparents (plus appétissants que la couleur rose ou bleue).

- Utilisez des outils d'organisation: un carrousel pour les épices, les casseroles ou les conserves, un classeur d'ustensiles, etc. Voir liste d'objets utilitaires dans le guide des produits «sauve-temps» de ce chapitre (p.150).

- Nettoyez les éléments chauffants de la cuisinière électrique avec un produit récurant. Récurez le four, en utilisant un produit auto-nettoyant inodore ou biodégradable. Portez toujours des gants de caoutchouc et un masque protecteur pour votre sécurité.

Le réfrigérateur

Le titre de ce chapitre est particulièrement approprié pour ce fourre-tout d'aliments. Procédons.

- Sortez les aliments, une tablette à la fois.

- Lavez les parties fixes à l'eau additionnée de bicarbonate de soude afin que votre réfrigérateur ne sente pas l'ammoniaque ou autre produit trop odorant pour cet endroit.

- Vérifiez les dates de péremption des aliments et condiments. Jetez tout ce qui a une odeur douteuse.

- Rassemblez ce qui se ressemble (les fruits ensemble, les fromages ensemble, etc.). Les oignons et les pommes de terre se conservent mieux à la température ambiante.

- La température idéale du réfrigérateur est entre 2 et 4 °C. Celle du congélateur, entre -15 et -18 °C. Si votre thermostat montre une température excédant cet idéal, vous consommez de l'électricité inutilement.

- Pour ceux qui oublient ce qui se loge dans les tiroirs, je vous suggère de coller, sur le devant, un papier mémo avec la liste des articles. Par exemple : pommes vertes, tomates, etc. Écrivez la quantité restante d'aliments si cela peut vous aider à moins gaspiller.

Organiser ses vêtements

« Lorsque j'ai moins de vêtements à ma disposition, la gestion est plus facile, j'emploie plus mon imagination. »

Ines de la Fressange, designer de mode et ex-mannequin pour Chanel.

Ouvrez la porte de votre garde-robe principale. La porte ferme-t-elle encore ? Trouvez-vous ce que vous voulez en moins de deux ? Quels secrets cachent vos garde-robes ? Certains disent que l'état de nos garde-robes reflète l'état de notre vie. Vivez-vous dans le présent, dans la peur du futur en gardant trop de vêtements, en cas ? Lorsqu'on restaure l'ordre dans son environnement, on restaure progressivement sa santé, son énergie.

Votre encombrement est une protection contre quoi ?
De quoi vous protégez-vous ?

____

____

____

____

____

____

La règle de Pareto est surprenante dans le cas présent. Si vous portez 20 % de votre garde-robe 80 % du temps, vous êtes prêt pour une cure. Voici des solutions pratico-pratiques pour vous y retrouver.

Se concentrer sur un tiroir et une catégorie de vêtements à la fois.

Il y a quelques questions à se poser lors du *blitz* de départ:

1. Est-ce que j'aime porter ce vêtement?

La réponse est oui ou non. Les « peut-être » contribuent au débordement. Si un vêtement a une valeur sentimentale, gardez-le mais en photo ou gardez-le dans un sac à vêtements que vous identifierez « archive/souvenir » ou, encore, donnez-le. Si la réponse est oui, vaut-il la peine de le garder une autre année, de le réparer, de le repasser, etc.? Organisez les vêtements que vous jugez indispensables afin de les atteindre facilement. Les vêtements utilisés à tous les jours doivent être faciles d'accès. Les vêtements moins souvent utilisés peuvent être placés dans un endroit plus difficile d'accès ou dans un contenant fermé ayant la liste complète des vêtements entreposés. Cette liste doit être visible et lisible sans avoir à ouvrir le contenant.

Si la réponse est non, donnez-le ou mettez-le à votre prochaine vente de garage, s'il a encore de la valeur. Questionnez-vous doublement sur les vêtements que vous désirez garder. Ils sont peut-être la raison de votre encombrement.

2. Est-ce que ce vêtement me va bien?

Obtenez l'opinion d'une personne honnête. Connaissez-vous les couleurs qui bonifient votre teint, qui mettent en valeur vos yeux et vos cheveux?

3. Est-ce que c'est l'image que je veux projeter?

Est-ce trop sexy? C'était vous, il y a dix ans. La coupe du vêtement est maintenant désuète.

Le secret d'une garde-robe efficace est la combinaison entre les vêtements qui vous vont bien, qui projettent votre image et qui vous font sentir en pleine possession de vos moyens. En conclusion : à la moindre hésitation face à ces critères de sélection, éliminez.

Comment réaliser un triage ?

Le maintien des acquis se fait facilement lorsqu'on adopte la devise suivante. Si un nouveau morceau entre dans ma garde-robe, un vieux doit en sortir.

Durant le triage, éliminez la moitié sinon plus, des vêtements clones. Par exemple, dix paires de pantalons noirs pourront être réduites à trois ou à cinq, tout au plus.

Ne pas entasser : si les vêtements sont entassés, c'est signe d'un trop plein. L'entassement est néfaste pour les vêtements car cela entraîne du repassage en double.

Catégories : divisez vos vêtements par catégories (pour le travail, pour les loisirs, pour les grandes occasions), puis par type (pantalons, chemisiers) et, finalement, par un dégradé de couleur. Lorsque vous achetez un tailleur, une robe ou un complet, demandez au vendeur d'y inclure le cintre, ça ne coûte rien. Il devrait pouvoir vous accommoder. De plus, ne laissez pas de cintres vides sur les pôles de votre garde-robe, ils prennent de l'espace inutilement. Mettez-les dans un sac accroché à un cintre ou dans une valise.

Truc

Organisez votre garde-robe par longueur des vêtements. Il suffit de vous rappeler que le court et le long ne se marient pas ensemble. Vous créerez de l'espace sous vos vêtements courts pour un support à souliers ou pour ranger vos valises.

L'actif ou le passif : la garde-robe principale ne devrait contenir que les vêtements que vous portez présentement. Pour faciliter le rangement de vêtements hors saison, inscrivez sur le contenant de rangement à qui ils appartiennent ainsi que la catégorie de vêtements (manteau, gants, pantalon de ski, etc.). Rangez les vêtements saisonniers dans un endroit sec et loin de l'humidité.

Faire un don : lavez ou nettoyer à sec vos vêtements avant de les donner. Avant de les remettre à une œuvre de charité, posez-vous la question suivante : est-ce que je les confierais à une amie ou à ma famille ? Si la réponse est non, transformez-les en torchons. Si oui, offrez-les avec fierté.

Truc

Vous ne vous souvenez plus si vous avez porté tel ou tel vêtement durant la dernière année ?

Voici une méthode infaillible : accrochez tous les cintres à l'envers sur la pôle de votre garde-robe. La pointe du crochet vous fera face. Lorsque vous rangez un vêtement porté, mettez le cintre à l'endroit sur la pôle. La pointe du crochet fera face au mur. Au triage annuel, vous verrez tous les vêtements intouchés de l'année.

Utilisez des cintres semblables. Je recommande les cintres de bois ainsi que les cintres de plastique ayant des pinces pour accommoder les jupes et des encarts pour épouser les petites bretelles. Retournez à qui de droit les cintres fournis par les nettoyeurs. Ils ne sont que temporaires et abîment les vêtements.

Les boules à mites ne sont pas une nécessité si les vêtements sont rangés pour une saison. Si vous les utilisez, assurez-vous qu'elles ne touchent pas les vêtements car elles contiennent des huiles qui tachent. Prenez la précaution d'entreposer ces vêtements dans un endroit sec.

En boni : trouvez la bonne taille de soutien-gorge : sept femmes sur dix ne portent pas la bonne taille.

Lorsque vient le temps de choisir des vêtements ou tout autre item, se rappeler que la qualité est plus importante que la quantité. Cette maxime vous guidera pour vous libérer de votre encombrement ou pour l'éviter. Malgré l'espace récupéré, vous serez tenté de le remplir. C'est une loi naturelle.

Où entreposer tous ces chandails de laine, manteaux d'hiver, oreillers, édredons, couvertures et sacs de couchage sans qu'ils ne prennent trop d'espace ? Solution : le Space Bag, disponible en format extra grand, grand, petit ou format de voyage. Insérez-y les vêtements et refermez la glissière puis, à l'aide du bec aspirant d'un aspirateur, joignez celui-ci à l'embouchure et aspirez l'air. Vous verrez le sac s'aplatir comme par magie. Pour commander, se référer à la liste des sites Web recommandés dans ce chapitre ou visitez les magasins à grande surface de votre région.

Choisir ce que l'on veut porter avant de se coucher peut également permettre d'épargner un temps précieux le matin alors que l'on est entre deux mondes. Qui devrez-vous rencontrer, quelles activités feront partie de votre journée ? Ces éléments vous aideront à déterminer le style, le confort ainsi que si vous devez repasser. Note : je sais, messieurs, vous trouvez que c'est une idée pour les dames seulement, mais essayez-la quand même.

Vos bijoux sont pêle-mêle, entremêlés ou désuets. Solution : un espace pour chaque paire de boucles d'oreilles, bagues, chaînes, bracelets et montres. Comment ? Gardez vos cartons d'œufs en polystyrène ou en plastique transparent. Il existe maintenant des cartons pour 18 œufs qui rendent le rangement plus facile. Nettoyez-les et dites adieu à la perte de temps du matin. Il existe aussi un séparateur de tiroir en plastique, disponible dans les magasins à un dollar. Donnez les bijoux que vous n'avez pas portés au cours de la dernière année. S'ils ont de la valeur, visitez un antiquaire spécialisé en bijoux, celui-ci pourrait les acquérir à un prix acceptable.

Investissez dans un support à souliers. Ceux-ci seront plus accessibles et capteront moins la poussière.

Truc

Achetez les souliers en fin de journée lorsque les pieds sont fatigués et à leur plus large.

Jouez le jeu de l'attente. Vous avez le goût de vous acheter de nouveaux vêtements ? Imaginez que vous possédez l'article convoité. Comment vous sentez-vous ? Imaginez maintenant comment vous payez cet article. Revisitez ces images mentales une semaine plus tard, et jugez si cet article est encore un besoin ou s'il n'est plutôt qu'un désir.

Magasiner ! Yé ! Mais pas à n'importe quel prix. Pourquoi acheter un vêtement à plein prix ? Achetez plus pour moins durant les soldes de fins de saisons, dans les entrepôts, aux ventes d'après Noël, dans les magasins d'escomptes, les centres de liquidation, les magasins de seconde main tels que Renaissance ou Village des Valeurs et courez les ventes annuelles des paroisses. Ayez une liste des morceaux qui vous manquent pour créer une garde-robe versatile composée d'indémodables et d'essentiels.

Les minimums essentiels de la garde-robe

Féminine

1 chemisier blanc à manches longues

4 chemisiers ou hauts s'agençant avec pantalons, jupes et tailleurs

1 col roulé

1 pantalon marine, 1 pantalon noir

1 robe noire, 1 robe, 3 jupes

1 tailleur (veston, jupe ou pantalon ou robe)

1 jean

1 imperméable et 1 parapluie tout aller

1 paire d'espadrilles, 1 paire de sandales

1 paire de souliers fermés foncés

Sous-vêtements appropriés

1 collant opaque de qualité

3 paires de bas de nylon (la qualité n'est pas requise puisqu'ils filent après 2-3 usages)

2 paires de boucles d'oreilles, 1 bague qui vous rend unique

1 ceinture de cuir, 1 sac à main de qualité

1 fourre-tout, 1 paire de lunettes de soleil.

Masculine

2 chemises blanches à manches longues

3 chemises de couleurs s'agençant au complet de 2 pièces

5 cravates assorties

2 pantalons, 1 pantalon style sport

2 complets de couleurs différentes

1 paire de *loafers*, 1 paire de souliers en cuir lacés,

1 paire d'espadrilles

Sous-vêtements appropriés

Bas de nylon et de coton, T-shirts

Montre, bague et bijoux vous démarquant

Note: cette liste énumère seulement les essentiels et peut différer selon les goûts. Misez sur la texture, la coupe, le style, la versatilité, la qualité des tissus.

Pour les bas de nylon et collants, investissez dans un cintre ayant une enveloppe de pochettes transparentes. Agencez les couleurs et les longueurs (bas courts, bas culottes, bas golf, etc.). Le séparateur de tiroirs est aussi tout indiqué pour ce genre d'items.

Vérifiez l'étiquette d'un nouveau vêtement avant de l'acheter afin qu'il vous en coûte le moins possible pour l'entretenir. Le guide des nouveaux symboles pour l'entretien des vêtements et textiles qui suit vous aidera à garder vos vêtements en excellent état.

Guide des symboles pour l'entretien des vêtements et textiles

Symboles de lavage

Lavage à l'eau à 95 °C dans une laveuse commerciale ; réglage normal.

Lavage à l'eau d'une température maximale de 95 °C dans une laveuse commerciale ; réglage pressage permanent.

Lavage à l'eau d'une température maximale de 70 °C dans une laveuse domestique ou commerciale ; réglage normal.

Lavage à l'eau d'une température maximale de 60 °C dans une laveuse domestique ou commerciale ; réglage normal.

Lavage à l'eau d'une température maximale de 60 °C dans une laveuse domestique ou commerciale ; réglage pressage permanent.

Lavage à l'eau d'une température maximale de 50 °C dans une laveuse domestique ou commerciale ; réglage normal.

Lavage à l'eau température maximale de 50 °C dans une laveuse domestique ou commerciale ; réglage pressage permanent.

Lavage à l'eau d'une température maximale de 50 °C dans une laveuse domestique ou commerciale ; cycle délicat.

Lavage à l'eau d'une température maximale de 40 °C dans une laveuse domestique ou commerciale ; réglage normal.

Lavage à l'eau d'une température maximale de 40 °C dans une laveuse domestique ou commerciale ; réglage pressage permanent.

Lavage à l'eau d'une température maximale de 40 °C dans une laveuse domestique ou commerciale ; cycle délicat.

Lavage à l'eau d'une température maximale de 30 °C dans une laveuse domestique ou commerciale ; réglage normal.

Lavage à l'eau d'une température maximale de 30 °C dans une laveuse domestique ou commerciale ; réglage pressage permanent.

Lavage à l'eau d'une température maximale de 30 °C dans une laveuse domestique ou commerciale ; cycle délicat.

Lavage délicat à la main, à l'eau d'une température maximale de 40 °C.

Lavage délicat à la main, à l'eau d'une température maximale de 30 °C.

Lavage à n'importe quelle température dans une laveuse domestique ou commerciale, réglage normal.

Ne pas laver.

Guide des symboles pour l'entretien des vêtements et textiles

Symboles de blanchiment

Utiliser tout agent de blanchiment au besoin.

Ne pas utiliser d'agent de blanchiment.

Utiliser seulement un agent de blanchiment non chloré au besoin.

Symboles de séchage

Séchage par culbutage à température élevée (maximum de 75 °C) ; réglage normal.

Séchage par culbutage à température moyenne (maximum de 65 °C) ; réglage normal.

Séchage par culbutage à température moyenne (maximum de 65 °C) ; réglage pressage permanent.

Séchage par culbutage à basse température (maximum de 55 °C) ; réglage pressage permanent.

Séchage par culbutage à basse température (maximum de 55 °C) ; cycle délicat.

Séchage par culbutage à n'importe quelle température

Séchage par culbutage sans chaleur / séchage à l'air.

Ne pas sécher par culbutage.

Essorer et suspendre (sur une corde) pour le séchage.

Suspendre l'article complètement mouillé pour un séchage par égouttage.

Essorer et faire sécher à plat sur une surface plane appropriée.

Séchage à l'ombre (symbole ajouté à séchage suspendu à une corde, séchage par égouttage et séchage à plat).

Ne pas sécher.
(Est utilisé avec le symbole « Ne pas laver »).

Guide des symboles pour l'entretien des vêtements et textiles

Symboles de repassage/pressage

Repasser à la main, à sec ou à la vapeur, ou presser avec un appareil commercial, à une température élevée (température maximale de 200 °C). Température recommandée pour tissus de coton ou de lin.

Repasser à la main, à sec ou à la vapeur, ou presser avec un appareil commercial, à une température moyenne (température maximale de 150 °C). Température recommandée pour tissus de polyester, rayonne, soie, triacétate et laine.

Repasser à la main, à sec ou à la vapeur, ou presser avec un appareil commercial, à basse température (température maximale de 110 °C). Température recommandée pour tissus d'acétate, acrylique, modacrylique, nylon, polypropylène et spandex.

Ne pas repasser à la vapeur.

Ne pas repasser ni presser.

Symboles d'entretien professionnel des textiles

Nettoyage à sec, cycle normal. Tous les solvants sauf le trichloréthylène.

Nettoyage à sec, cycle normal. Solvant pétrolier seulement.

Ne pas nettoyer à sec.

Utilisation des points pour déterminer la température de l'eau

95°C
Presqu'au point d'ébullition

70°C
Extrêmement chaude

60°C
Très chaude

50°C
Chaude

40°C
Tiède

30°C
Froide

Symboles d'entretien additionnels

Ne pas essorer

Lavage professionnel

Ne doit pas faire l'objet du lavage professionnel

Vos notes

Treize trucs de repassage sans tracas

- Ne repassez jamais les tissus qui n'en ont pas besoin comme les draps, les mouchoirs, les linges à vaisselle, les sous-vêtements et les serviettes de bain.

- Lisez attentivement l'étiquette d'entretien du vêtement car certains tissus préfèrent un fer froid ou tiède.

- Ajustez votre table à repassage à la bonne hauteur afin d'éviter un mal de dos inutile.

- Organisez votre séquence de repassage selon la température exigée par vos tissus. Commencez toujours par les tissus qui demandent une température basse comme la soie puis augmentez et ajustez la température au fur et à mesure afin d'éviter le rétrécissement, l'agrandissement ou le changement de couleur.

- Repassez les parties peu visibles et le pourtour des boutons puis, les grandes surfaces.

- Optez pour un déodorant naturel qui ne contient pas d'aluminium, celui-ci ayant tendance à laisser des taches.

- Évitez de repasser ou de sécher à la machine des vêtements tachés car la chaleur fixera la tache.

- Si vous étendez une chemise ou un chemisier sur une corde à linge, prenez le temps d'épingler le vêtement aux aisselles ou par la partie qui sera insérée dans le pantalon de sorte qu'il ne requiert pas ou peu de repassage ou installez-le sur un cintre à bande large pour éviter tout pli disgracieux dans la région de l'épaule. Pensez aussi à attacher les boutons du haut et du bas afin qu'elle garde sa forme.

- Faites travailler votre sécheuse en votre faveur en retirant le vêtement dès la fin du cycle, secouez-le un bon coup selon la résistance du tissu et rangez-le sur un cintre adéquat.

- Évitez de repasser des tissus acryliques encore humides car ils deviendraient trop brillants.

Treize trucs de repassage sans tracas

- Le vêtement devrait être légèrement humidifié pour un résultat optimum.

- Achetez des vêtements qui ne requièrent pas de repassage.

- En voyage : suspendez un vêtement fripé près de la douche fumante pendant environ trente minutes puis suspendez-le dans un endroit sec et laissez-le sécher complètement sinon des faux plis se formeront.

Des pense-bêtes

Contre-attaquer en étant prévoyant

- Pour minimiser le nettoyage du four de la cuisinière, placez un papier d'aluminium au fond. Remplacez-le lorsque des dégâts sont apparents.

- Pour limiter le nombre de sollicitations, pensez-y deux fois avant de remplir des coupons de participation à des concours en ligne ou à des salons qui s'adressent au grand public et demandent votre adresse complète ou votre adresse de courriel.

- Pour faciliter la récupération de papier, prévoyez une corbeille à papier dans chaque pièce de votre demeure.

- Instaurez une règle de base pour contrer le trop-plein de vos garde-robes, votre garage, etc. Par exemple : si un nouvel article y entre, un autre doit nécessairement en sortir.

- Dédiez un espace dans votre entrée pour les retours de dvd ou de cassettes vidéo, de livres ou tout autre objet en attente.

- Vous connaissez le lieu où le bric-à-brac s'installe, contre-attaquez en plaçant des bacs décoratifs, paniers ou boîtes pour amasser le courrier, les journaux et magazines, les clés et autres items envahissants.

- Gardez un panier en bas des escaliers (si votre résidence possède deux étages) pour y collecter les items qui doivent être montés. Prenez l'habitude de le saisir en montant et de le ramener en descendant.

- Lorsque vous laissez un message dans la boîte vocale d'un individu, répétez toujours votre numéro de téléphone deux fois ainsi que le meilleur moment pour vous rejoindre.

- Pour ne pas oublier une action importante à accomplir une fois arrivé à la maison, laissez-vous un message téléphonique. Lorsque vous prendrez vos messages, vous aurez tous les détails qu'il vous faut.

- Porte-clés : n'y accrochez que les clés que vous utilisez à tous les jours. Si elles sont trop semblables, accrochez un identificateur de couleur. Gardez vos clés d'auto séparément. Un trousseau trop lourd peut créer une pression dans le contact et rendre le démarrage difficile. Si vous ne savez plus ce que chaque clé déverrouille, hop ! À la poubelle.

- Gardez les clés des cadenas inutilisés dans leur cadenas respectif.

- Un porte-clés différent pour chaque membre de la maisonnée simplifiera les départs pressés. Une lampe de poche miniature intégrée au porte-clés facilite leur utilisation la nuit.

- Ne jetez jamais à la poubelle vos papiers officiels ayant votre numéro de carte de crédit, numéro d'assurance sociale, carte de crédit préapprouvée, offres ayant votre nom et coordonnées, relevés de vos placements bancaires ou talons de paye. Déchiquetez-les. Le vol d'identité et la fraude de carte de crédit sont devenus des fléaux partout dans le monde.

- C'est qui ça, sur la photo ? Rassemblez toutes vos photos. Au départ, jetez-en la moitié. Oui, oui, la moitié ! Puis, divisez le reste par membre de la famille ou par événements, catégorie ou même par année.

- Mettez-les dans des boîtes à souliers identifiées ou des boîtes pour photos. Apposez une étiquette en identifiant la nature ou le sujet au devant de la boîte.

- Distribuez vos nouveaux arrivages de photos dans les boîtes déjà triées. Lorsqu'elles sont à nouveaux remplies, effectuez le même exercice.

- Évitez de demander des doubles, même s'ils sont gratuits, à moins qu'ils ne soient absolument nécessaires.

- Fourre-tout/sac à main/porte-monnaie

- Quels secrets cachent-ils? Transportez-vous du superflu, des coupons périmés, de vieux mouchoirs ou même le fameux bidule que vous cherchez depuis deux semaines?

- Boîte à couture: avez-vous tout ce qu'il vous faut?
  Voici les essentiels: fils de couleurs neutres qui s'agencent avec votre garde-robe (bleu marin, noir, blanc, beige, gris, bleu pâle), de bons ciseaux, aiguilles, épingles, boutons de rechange.

Truc

La boîte à couture est l'endroit idéal pour garder les boutons supplémentaires lorsque vous achetez une nouvelle pièce de vêtement.

- Vous n'avez pas le temps d'apporter vos objets à donner aux œuvres de bienfaisance? Laissez-les près du trottoir avec une affiche ayant la mention: «à donner». Pariez quant au temps à attendre avant que le tout ne disparaisse.

La peinture

Comment calculer la peinture nécessaire pour une pièce?

Multipliez la hauteur par la largeur et la longueur des murs et vous aurez le total en pieds cubiques. Divisez ce total par 27 pour obtenir la mesure en verges cubiques.

Exemple: 9′ (hauteur) x 12′ (largeur) x 11′= 1188 pieds cubiques
1188 ÷ 27 = 44 verges cubiques.

Pour ne plus nettoyer les bacs à peinture, glissez sur celui-ci un sac d'épicerie à l'envers. Adhérez-le au bac et remplissez-le de peinture. Lorsque vous aurez terminé avec cette couleur, vous n'aurez qu'à enlever le sac et le jeter.

Truc

Mettez une assiette jetable collée par un adhésif sous le pot de peinture afin d'éviter les cernes de peinture au sol. Pour des mains sans taches, procurez-vous des gants chirurgicaux. Ils sont disponibles en pharmacie.

Votre véhicule

Procédez à un bon nettoyage intérieur à chaque changement de saison ou au besoin. Ce qui veut dire :

- Secouez et lavez les tapis protecteurs en caoutchouc. Passez l'aspirateur sur les moquettes. Ils sont un excellent investissement pour parer à l'usure des planchers.
- Passez l'aspirateur sur les banquettes, le plancher (avant, arrière et le coffre arrière).
- Astiquez le tableau de bord, les supports à boissons, les cendriers, etc.

Truc

Pour garder l'effet de propreté, glissez sous les banquettes avant une feuille d'assouplissant textile à effet prolongé ou mettez quelques gouttes d'huile essentielle odorante sur un des tapis.

Le coffre à gants. Objets utiles : enregistrement du véhicule, constat à l'amiable, manuel du véhicule, Ziploc pour sceller des rebuts liquides pour les restes alimentaires, numéros de téléphone d'urgence, bloc-notes et stylo, cartes routières, pochette avec monnaie de dépannage, décapsuleur et mouchoirs en format de poche.

Le coffre arrière. Les essentiels en hiver : des bougies et des allumettes dans une boîte hermétique (lors de pannes en hiver, une bougie peut réchauffer l'intérieur d'un véhicule standard), grattoir et brosse, pelle, liquide lave-glace, bandes de traction, sable et un jeu d'essuie-glaces supplémentaires.

Les essentiels en tout temps : nettoyant pour vitres, fusées éclairantes de secours, trousse de premiers soins, câbles de démarrage et extincteur.

Un bac transparent avec couvercle vous permettra de ranger des items d'urgence tels que : eau embouteillée de 1.5 litres, couverture en molleton, lampe de poche incluant les piles, un vaporisateur scelle/gonfle (en cas de crevaison, celui-ci scellera la plupart des crevaisons et des fuites lentes sans endommager le pneu), un bidon vide de 5 litres de gazoline, un cric et un pneu de rechange gonflé.

Un sac d'épicerie réutilisable robuste pour faciliter les achats de dépannage.

Les grands oubliés du ménage…

Pour que ces nouvelles tâches deviennent un jeu, photocopiez les pages de cette section, découpez chaque idée et mettez-les dans un grand bocal à biscuits par exemple. Identifiez celui-ci par « le grand ménage » afin de savoir ce qui s'y retrouve. Pigez au hasard. Lorsqu'une tâche est accomplie, insérez le bout de papier dans un petit sac refermable et rangez-le dans le bocal. À l'instant où le sac comptera toutes les idées du bocal, vous pourrez affirmer avec fierté que vous avez réalisé un sacré boulot.

- Remettez à sa place un objet délogé de sa maison. Si cet objet n'a pas de résidence permanente, lui en assigner une immédiatement. Informez-en votre entourage.

- Nettoyez le bas du rideau de douche avec un nettoyant anti-moisissures. Si le rideau est trop long et retient trop de résidus, coupez-le avec un ciseau à lame en zigzag. L'eau aura moins tendance à stagner.

- Nettoyez vos contenants à déchets sur roulettes, les corbeilles à recyclage et les corbeilles de cuisine. S'il est possible de vous acquitter de cette tâche dehors, vous pourrez utiliser un boyau d'arrosage avec du vinaigre et une brosse avec un manche rétractable pour atteindre le fond des contenants.

- Répertoriez les retouches de peinture à entreprendre autour de la maison et préparez toutes les couleurs nécessaires. Pour les pièces qui requièrent de la peinture à l'huile, il est préférable de procéder tôt le matin pour qu'elles soient sèches le soir venu, surtout pour les chambres à coucher et les pièces très passantes.

- Prenez un rendez-vous avec le ramoneur de cheminée. Inutile d'attendre à l'automne pour l'appeler.

- Nettoyez votre coffre à outils. Replacez vos outils dans les bons compartiments. Composez la liste des outils manquants.

- Vérifiez si les prises de courant ne sont pas trop surchargées. Est-ce que tous les appareils branchés sont utilisés fréquemment ? Sinon, débranchez ceux qui servent moins et disposez-les dans un endroit plus propice.

- Rassemblez toutes les garanties et modes d'emploi des électroménagers que vous possédez. Gardez-les dans une chemise ou une grande enveloppe bien identifiée. Jetez les garanties des objets que vous ne possédez plus.

- Jetez tous les marqueurs, les surligneurs et les stylos secs.

- Écoutez les messages de votre répondeur ou système de messagerie. Supprimez tous les vieux messages et procédez aux suivis des messages non répondus.

- Déchiquetez tous les vieux documents qui contiennent des informations personnelles.

- Polissez vos chaussures et bottes de cuir. Remplacez les semelles de support usées et réparez les talons fatigués, votre dos ne s'en portera que mieux.

- Balayez les dessous de lit. Quelle perle s'y cache ? De l'argent, des bijoux, un bas sans son jumeau ?

- Affichez la liste des numéros de téléphones d'urgence près de l'appareil téléphonique le plus utilisé de la maison ou sur le réfrigérateur. Ajoutez un bloc-notes et un stylo tout près.

- Repassez tous les vêtements qui le requièrent. Vous n'aurez plus de raison de ne pas les porter.

- Reprisez tous les vêtements auxquels il manque des boutons ou dont les coutures sont à recoudre.

- Vos mitaines de cuisine sont en piteux état ou vous brûlent les mains ? Avant de confectionner votre prochain plat cuisiné, offrez-vous une nouvelle paire et jetez la vieille.

- Avoir toujours assez de batteries pour vos jouets et vos petits électroménagers. Rangez-les toutes dans un même tiroir pour un accès facile.

- Nettoyez les brosses à cheveux et les peignes dans une solution d'eau chaude vinaigrée.

- Jetez tous les parfums ou eaux de Cologne qui sentent l'alcool ou que vous n'aimez plus.

- Jetez ou rapportez à votre pharmacien, tous les médicaments et vitamines venus à échéance.

- Vos abat-jour sont empoussiérés ? Prenez douze pouces de ruban d'emballage incolore assez large, appliquez le ruban sur le haut de l'abat-jour et retirez-le. Passer sur toute la surface de l'abat-jour. Le ruban autoadhésif retiendra la poussière sans abîmer le revêtement.

- Changez le sac de l'aspirateur ou vider le réservoir à déchets pour les modèles sans sac. Lavez le filtre si nécessaire.

- Ouvrez la boîte sans nom ou le tiroir qui déborde (vous savez lequel) et classez son contenu par catégories.

- Pour ne plus vous demander : « Où sont mes clés ? » fixez au mur de votre entrée de maison une règle aimantée et accrochez-les dès votre arrivée.

- Que se cache-t-il sur le dessus de votre réfrigérateur ou derrière le sofa ? Des dessins, des vieux magazines, vos clés ? Triez, jetez, replacez chaque item dans sa résidence permanente.

- Remplacez la boîte de soda (bicarbonate de soude) de votre réfrigérateur à tous les changements de saison. Ouverte, elle absorbe les odeurs désagréables et aide à garder la saveur des aliments. Utilisez le contenu de la vieille boîte pour nettoyer les carrelages de la salle de bains ou pour nettoyer le micro-ondes.

- Triez vos herbes et épices. Elles gardent leur saveur environ six mois. Écrire la date d'achat sur chaque contenant pour toujours avoir l'heure juste quant à leur fraîcheur.

- Nettoyez à fond le plancher de votre entrée de maison.

- Communiquez avec une compagnie de nettoyage de tapis pour sortir la crasse, les acariens et la poussière qui s'y logent. Passez l'aspirateur sur vos tapis mobiles. N'oubliez pas le revers des tapis.

- Casez les souliers qui gisent au sol sur des supports à souliers. Où trouver des souliers ? Dans l'entrée de la maison, au sous-sol, dans les chambres, dans la salle de jeux, près des portes de sortie de la maison et du garage.

- Le recyclage est maintenant une nécessité pour bien des raisons. Décidez de recycler au moins le papier qui entre chez vous. Établissez avec les membres de votre famille, un endroit propice pour recueillir tout le papier. Une personne devrait hériter de la tâche de rassembler tout le papier une fois la semaine et de le déposer avec les rebuts le jour du ramassage par la ville.

- Réunissez tous vos produits de nettoyage dans un panier de transport. Munissez-vous de produits multiusages afin qu'ils s'insèrent sans encombre dans un seul panier. Déplacez-vous avec lui de pièce en pièce pour faciliter votre travail.

- Évaluez la pertinence des petits électroménagers qui ont pris logis sur votre comptoir de cuisine. Donnez ceux qui ne servent plus à des amis qui ont un chalet ou apportez-les à votre travail pour faciliter la préparation des dîners pressés de vos collègues.

- Désencrassez : lustre suspendu, plafonnier, ventilateur de plafond, support à casseroles suspendu, candélabre, hotte de cuisinière, dessous des casseroles et des moules à muffins, pourtour de robinetterie, barbecue, âtre du poêle à bois, dessous de la tondeuse à gazon, enjoliveurs de roues, bâtons de golf, poignées de portes, commutateurs électriques, pomme de douche et son filtre et gouttières.

- Aiguisez vos ciseaux et couteaux de cuisine.

- Videz votre sac de golf ou votre sac d'équipement de sport. Jetez les choses inutiles, nettoyez le contenant s'il est taché et replacez les objets que vous voulez garder. Pour les sportifs, c'est une excellente façon de savoir si vous devez vous acheter ou échanger un équipement pour la prochaine saison.

- Les disques 45 tours ou de vinyle, les vidéocassettes d'exercices, les CD et cassettes de musique ont besoin d'être recensés une fois l'an. Si vous n'avez pas eu l'occasion de les écouter, donnez-les.

- Nettoyez le support à charpies de votre sécheuse avec du savon et de l'eau chaude. Tant que l'eau ne coule pas librement, continuez à le récurer. Le temps de séchage sera dorénavant plus court puisque l'air circulera sans entrave.

- Rassemblez tous les bouts de papiers, cartes professionnelles, notes autocollantes, numéros de téléphone éparpillés dans votre logis. Allez-y maintenant. Triez-les un à un. S'ils sont encore pertinents, classez-les dans un seul endroit par catégorie telle que : restaurants, décoration, affaires légales, réparateurs, etc.

- Si vous avez une liste de contacts de courriel, supprimez les adresses que vous ne comptez plus employer. Ajoutez les nouvelles adresses courriel qui gisent ça et là.

Les espaces de rangement

Les garages, sous-sol et cabanons de ce monde sont souvent des endroits mal éclairés. C'est parfois une façon inconsciente de cacher un bric-à-brac. En installant des ampoules halogènes ou des néons à tous les cinq pieds environ, vous mettrez de la lumière sur vos affaires ! On oublie facilement ce qui se cache en ces lieux car ils regorgent d'objets utilitaires saisonniers, de vieilleries qui attirent poussière, moisissure et rouille; d'objets comme les bacs de recyclage, les outils électriques ou manuels, les articles de sport et j'en passe.

Quand la belle saison reviendra, avant de passer chez votre détaillant de meubles de jardin ou votre quincaillier, visitez vos espaces de rangement et magasinez chez vous. Maintenant qu'ils sont bien éclairés, vous pourrez redécouvrir vos perles cachées et, souvent, un bric-à-brac envahissant.

Comme partout ailleurs dans votre environnement, chaque objet logeant à votre adresse doit avoir sa «maison», son lieu de résidence permanent, afin que vous puissiez y accéder rapidement et en profiter quand bon vous semble.

Nous mettrons de l'ordre dans ces espaces de rangement avec les bases de l'organisation élaborées au premier chapitre.

Identifier le(s) problème(s). Établissez un constat des lieux avec papier et crayon en main. Marchez dans l'espace et notez tout ce qui ne va pas.

Par exemple:

- Il y a trop d'objets qui n'ont pas de «maison».
- Plusieurs objets sont inutiles, brisés, rouillés, moisis et doivent être jetés.
- Vous ne trouvez pas ce que vous voulez facilement et rapidement.
- Vous n'avez pas d'espace pour garer votre voiture, votre tracteur à jardin ou vos autres machines.
- Les objets de décoration, les tuyaux d'arrosage, les articles de sport et les boîtes de souvenirs sont principalement par terre.

Considérer toutes les options

Pourquoi faites-vous de l'espace ?
Identifiez clairement vos attentes et vos besoins.

____

____

____

____

____

____

Suite au constat, établissez le budget des achats potentiels. Par exemple, si les objets sont principalement au sol actuellement, il serait bon de procéder à l'ancrage de crochets de différents calibres de charge, soit pour les bicyclettes, les outils électriques ou l'échelle. Une étagère à 4 ou 5 tablettes dégagera votre plancher et facilitera le passage.

Si vous avez un problème de moisissure, il sera primordial de vous munir de bacs de rangement avec couvercle à charnières ou à pression de différentes grandeurs selon les objets à protéger. Une consultation avec un spécialiste en moisissures est à considérer.

Les produits et matières inflammables et dangereux doivent être sous verrou. Communiquez avec votre municipalité pour connaître le calendrier de ramassage de vos produits dangereux (peintures, batteries, solvants, etc.) afin qu'ils soient détruits de façon sécuritaire pour l'environnement.

Reconnaître ses limites de temps, d'espace et financières

Obtenez un consensus de tous les membres de votre foyer afin que tous participent à la remise en ordre de l'espace.

Considérez une date qui accommodera toutes les personnes concernées. Cette date peut être avant les vacances d'été ou avant l'achat prévu de meubles de jardin, avant un mariage, un déménagement, etc.

Comparez toujours avant d'acheter les produits de rangement. Les magasins à grandes surfaces offrent de bons rabais au début du printemps et en fin de saison.

Élaborer un plan d'action

Ayez en main tous les outils de nettoyage requis. Par exemple, balai, porte-poussière, grands sacs à poubelle, gants de caoutchouc, produits nettoyants, désinfectants ou produits antibactériens, masque protecteur, guenilles, eau chaude, seau à eau.

Sortez tout ce qui se trouve dans l'espace à ranger en regroupant les objets par catégories : jardinage, peinture, articles de sport, outils électriques et manuels, vêtements hors saison, boîtes non identifiées. Déposez-les dans la cour ou dans l'allée de votre demeure, si possible.

Balayez l'espace de rangement au complet et nettoyez les taches sur le sol et la moisissure principalement nichée dans les recoins. Enlevez les fils d'araignées au plafond. Ouvrez les portes ou fenêtres s'il y a beaucoup de poussière.

Triez tout ce qui est à jeter pour commencer, puis, passez ensuite aux autres étapes du triage : à réparer, à donner puis à garder.

Décidez d'une « maison » pour chaque catégorie avec les membres de votre foyer.

Visualisez en détails les résultats escomptés. Prenez une feuille de papier et identifiez l'entrée et les sorties de l'espace en question. Placez sur le croquis des carrés ou rectangles qui représentent les différents objets que vous garderez (auto, établi, caisses de vêtements hors saison). Lorsque les zones de placement sont adéquates pour tous, procédez au rangement des objets. Chaque membre peut être responsable d'une zone de placement pour la journée ou même pour l'année. L'objectif est de rendre l'exercice agréable pour tous et de responsabiliser chaque membre de façon équitable.

Les articles désuets mais encore propres pourraient-ils être vendus dans une vente de garage ou donnés à une œuvre de charité ?

Agir maintenant et maintenir les résultats.

Éviter d'acheter des articles que vous possédez déjà et parez aux risques d'incendies.

L'entretien ne prendra que quelques minutes par jour par membre du foyer, selon la fréquentation des lieux. Une mise au point de votre système de rangement devra être revue dès qu'il y a un achat majeur qui entrera dans votre environnement. Une révision du lieu devra être instaurée une fois l'an, qu'il y ait ajout d'objets ou pas. Après tout ce dur labeur, il n'en tiendra qu'à vous de conserver les résultats à long terme.

Combien de temps cela peut-il prendre ?

Le constat et le budget prendront de 30 minutes jusqu'à plus de trois heures, en fonction du désordre. Prévoyez une journée entière pour le ménage, le triage, le repérage d'une « maison » pour chaque objet gardé et le rangement final des objets.

Autres solutions à considérer

Optez pour les couleurs vives sur les murs. Sur le sol des petits espaces, mettez une couleur unie ; sur le sol des grands espaces, préférez du damier. Il est impératif d'utiliser de la peinture à ciment pour le plancher du sous-sol et du garage, sinon l'écaillement rend l'entretien difficile.

N'oubliez pas le plafond.

Installez des grillages suspendus à l'aide de chaînes. Ceux-ci pourront accueillir kayak, sacs de couchage, retailles de tapis, planche à voile, tente, etc.

Garage, sous-sol

Pour remettre les petits outils toujours à la même place, dessinez un décalque avec un feutre de couleur autour de chaque outil sur une feuille de contreplaqué ou de masonite. Ce projet est si efficace et amusant que les enfants voudront le créer eux-mêmes.

Si vous voulez créer différents décors dans un sous-sol à aire ouverte, les tapis sont des outils parfaits pour délimiter un salon, un bureau ou une chambre. Ces espaces, séparés par des vieilles portes ou des persiennes géantes joliment peintes et reliées par des pentures, créeront des décors à la fois sympathiques et pratiques.

L'espace sous l'escalier demeure un endroit propice pour y installer du rangement pour les vêtements hors saison ou tout autre objet.

Peu d'espace pour un grand bricoleur ?

Installez un établi amovible qui se descend du mur à volonté par des chaînettes et un cran de sécurité pour le retenir au mur lorsque inutilisé.

Pour ranger les outils de jardinage à grands manches, piquez-les dans un bac rempli de sable afin qu'ils ne rouillent pas l'hiver. Ils peuvent aussi être polis à l'huile à dérailleur.

Si vous avez plus de dix contenants de rangement à entreposer, voici trois solutions possibles pour vous y retrouver.

1. Numérotez les contenants de 1 à 10. Sur une feuille à part, créez un organigramme décrivant brièvement ce que contient chaque boîte. Par exemple, boîte 1 : petites boules de Noël, boîte 2 : jouets pour enfants de 0 à 1 an, et ainsi de suite. Collez cette liste maîtresse sur le contenant numéro un. Vous pouvez protéger cette liste dans un protège-feuilles.

2. Énumérez sur une feuille mobile tous les items contenus dans chaque boîte puis coller cette feuille sur l'avant ou le côté de celle-ci. Éviter d'écrire directement sur la boîte car les items remisés peuvent changer d'une année à l'autre.

3. Rangez un type d'objets par boîte. Apposez une grosse étiquette composée d'un seul mot sur l'avant, le côté ou même sur le couvercle. Par exemple : chapeaux.

Maintenant que votre garage est mieux organisé, vous pourrez entrer votre voiture à l'intérieur cet hiver, si c'était impossible auparavant. Voici un truc pour ne pas trop avancer le véhicule et risquer de briser des outils rangés : suspendez une balle de couleur vive à l'endroit où vous devez arrêter le pare-brise.

Le double usage

Le double usage d'objets du quotidien est aujourd'hui une solution écologique et d'anti-gaspillage d'énergie. Il engendre une meilleure efficacité de notre temps, de nos espaces et de notre argent.

Il suffit parfois de prendre le temps d'observer la forme d'un objet puis de laisser aller notre imagination pour y découvrir des nouveaux usages. Je vous présente le résultat de mes observations.

Cuisine

Une assiette dépareillée peut servir efficacement de vide-poche à l'entrée de votre maison, de lieu d'accueil de vos trombones ou, encore, de réceptacle à bijoux.

L'étuveuse de bambou à trois étages utilisé en cuisine asiatique peut servir à mettre de l'ordre dans le bric-à-brac qui se retrouverait sinon sur votre comptoir de cuisine. Laissez mûrir les bananes et les tomates à l'abri de la lumière en les remisant pour quelques jours dans l'un de ces bacs. Comme ils s'empilent, vous récupérerez de l'espace en boni.

Utilisez un classeur de bureau pour aligner vos tôles à biscuits, votre planche à découper, vos livres de recettes ou couvercles de casserole.

Lorsque vous cuisinez, gardez votre livre de recette à la page désirée avec un cintre à grande pince pour jupe. De plus, il s'accroche à une poignée d'armoire pour être à la hauteur des yeux et dégager votre comptoir.

Verre à vin comme support à chandelle.

Les aimants décoratifs pour frigo vous éviteront de fâcheuses coupures lors de votre prochaine ouverture de boîte de conserve. Retirez le couvercle métallique avec l'aide d'un aimant.

Vous avez des restes de pain tranché ou de pain de Noël Panettone ? Préparez un pudding au pain. Facile et délicieux au déjeuner ou en collation.

Le récipient à cubes de glace peut servir aussi à congeler les bouillons. Lorsqu'ils sont bien gelés, transférez-les dans un sac pour congélateur. Vous n'aurez plus à décongeler une quantité de bouillon excédant vos besoins.

Gardez le jus des fruits en conserve pour l'épaissir sur un feu moyen avec un peu de fécule de maïs. Servez cette sauce d'accompagnement avec un gâteau ou sur des crêpes.

Gardez les pots de cylindre à croustilles pour les décorer et les utiliser comme contenants pour offrir en cadeau petits biscuits ou bonbons ou, encore, pour transporter des ustensiles ou petits outils de camping.

Le papier kraft colorié par vos invités ou par des enfants lors d'une fête fera une nappe festive qu'on n'osera pas jeter. Préparez des marqueurs et crayons de couleurs pour chaque invité. Vous n'aurez pas à les prier longtemps avant que l'enfant en eux ne s'éclate.

Comment créer un gâteau en forme de cœur ? Avec un moule spécial ? Non. Il vous faut un moule carré et un moule rond. Couper le gâteau rond en deux et positionner le gâteau carré face à vous afin qu'un des coins se dirige vers vous. Disposer chaque demie du gâteau rond sur les deux côtés supérieurs du diamant. Ajouter votre glaçage favori.

L'œuf poché sans bavure ! Ajouter un peu de vinaigre à l'eau de cuisson. Les blancs d'œufs n'auront plus le goût de s'évader.

Gardez le vinaigre des pots de cornichons commerciaux ou l'huile des olives marinées pour préparer des vinaigrettes à salades.

Un vase à fleurs carré transparent ou en verre fera un excellent plat de présentation pour un dessert tel une charlotte. Visuellement appétissant !

Voyage

Utilisez des pinces à cheveux pour tenir les vêtements sur une corde à linge fabriquée de soie dentaire.

Utilisez un shampooing à cheveux pour laver votre petite lessive.

Objets de rangement

Emballez vos cadeaux avec du pop-corn éclaté au lieu du papier à bulles afin de stabiliser l'objet dans la boîte. Amusant et coupe-faim.

Comment réutiliser le papier d'emballage cadeau ou le papier de soie chiffonné ? Passez ce papier dans un déchiqueteur en ayant pris soin de le mettre à plat au préalable. Donne un résultat festif. Toutefois, le papier métallisé ne passera pas. Utilisez ce résidu pour emballer vos prochains cadeaux ou, encore, comme pare-chocs pour garder vos boules de Noël ou autres objets délicats intacts. Le papier d'emballage peut aussi servir comme papier à bricolage pour les enfants ou comme élément pour vos sessions de découpage.

Les grandes boîtes de céréales peuvent servir à ordonner les magazines, les papiers scolaires ou les catalogues annuels. Mode de préparation de la boîte : couper les rabats de la boîte. Couper un des côtés jusqu'à quatre pouces de la base. Découper les deux côtés en diagonale jusqu'à quatre pouces de la base pour avoir une ouverture. Coller les rabats dans le fond de la boîte pour créer un double fond plus résistant. Décorer le résultat avec du papier kraft ou des photos de magazines agencées en patchwork.

Le carton d'œufs organise et sépare les bijoux, les trombones, les boutons ou vos couleurs de peinture décorative.

Perforez trois trous sur la longueur d'une enveloppe n° 10 et classez-la dans votre cartable ou votre agenda à trois anneaux. Vous pourrez y regrouper vos reçus d'achats et vos notes importantes pour la semaine ou le mois courant. Pour ouvrir et fermer rapidement l'enveloppe, appliquez une languette adhésive sur la pointe du rabat.

Les sacs à souliers protègeront efficacement les jeux de société, les casse-tête ou les jeux de dame ayant plusieurs petits morceaux.

Pour ne plus chercher vos paires de petites boucles d'oreilles percées, attachez-les aux trous de gros boutons ou encore, avec un poinçon, perforez un signet de livre d'autant de trous nécessaires pour les accommoder.

Un vase peut accueillir à vue vos petites balles de laines à tricoter. Très joli même si vous ne tricotez pas.

Plantez votre vieille boîte aux lettres à l'entrée de votre potager. Laissez-y vos gants et vos menus outils préférés.

Un support à vin accueillera proprement vos magazines enroulés.

Un support à serviette tiendra vos ustensiles et accessoires de cuisine moyennant l'ajout de crochets.

Un support vertical à essuie-tout peut tenir vos rouleaux de rubans à couture ou à emballage cadeau.

Des sachets de tisanes à la menthe, aux pommes et épices ou au mélange chaï rendront vos vêtements hors saison odorants s'ils sont placés dans un contenant hermétique.

Outils utiles

Utilisez les étiquettes de votre adresse postale pour identifier tout item de valeur tel que: parapluie, livre, brocheuse, etc. Ils vous seront toujours retournés.

Accrochez votre argent papier à une pince à documents de grandeur moyenne ou large pour un transport facile et moins encombrant.

Parapluie endommagé et irrécupérable ?

Solution : retirez la toile de sa base métallique. Utilisez ce squelette comme corde à linge portative. Il s'accroche par la poignée à la pôle du rideau de douche.

Enroulez deux feuilles de papier journal sur un morceau de bois d'allumage puis tournez le papier sur lui-même à chaque embout. Préparez-en plusieurs à l'avance pour couper de moitié le temps requis pour allumer un feu de foyer.

Pour garder la forme de vos bottes hautes, lier quelques élastiques à deux ou 3 cylindres de papier essuie-tout ou encore à un journal roulé.

Le dissolvant de vernis à ongles enlèvera facilement les étiquettes collées sur la vaisselle ou autres articles neufs.

La boîte de transport d'un gros électroménager peut vous simplifier la vie lors de votre prochaine activité de peinture en aérosol. Enlevez les rabats du couvercle, placez le meuble à peinturer dans la boîte. Assurez-vous de mettre un masque protecteur pour vous protéger des émanations toxiques.

Les cendriers pourront être utilisés à d'autres fins comme un vide-poche et un repose-baguettes lors de repas de type asiatique. Lorsque posés à l'envers, ils agiront comme base à un plat de service chaud ou comme réceptacle pour accueillir une grande cuillère souillée lors de la préparation de repas.

Décoration

Les rosettes de plafond de différentes formes et motifs impressionneront vos invités lorsque ces rosettes sont peintes aux couleurs complémentaires à votre décor. Légères (en uréthane ou en plastique), installez-les au mur comme un cadre.

Les cerceaux à broderie révèleront les couleurs attrayantes de vos murs si vous les recouvrez de tissus qui agrémenteront la couleur principale de vos murs. Regroupez-en quatre ou cinq pour créer une murale originale.

Une clôture de bambou de cinq pieds de hauteur agrafée au mur mettra une touche d'exotisme à votre décor de salle à dîner, de bureau, de salle de jeu ou de sous-sol.

Les tiroirs d'une vieille commode peuvent devenir une tablette accrochée au mur, une bibliothèque murale lorsque les tiroirs sont regroupés ou, encore, une boîte murale décorative.

Un petit bracelet élastique à la mode remplace l'anneau à serviette de table.

Comment retrouver un objet égaré ?

La dernière personne à avoir touché ou à avoir utilisé l'objet doit se soumettre à ce jeu, sinon les chances de le retrouver rapidement sont plus minces.

1. Calmez-vous et respirez profondément.

2. Assoyez-vous dans un endroit calme.

3. Éteignez le téléviseur ou tout autre stimulant auditif comme la sonnerie du téléphone, du cellulaire ou du téléavertisseur et la radio.

4. Visualisez l'objet en question. Remémorez-vous tous ses détails (sa forme, sa couleur, son poids, son utilité, etc.).

5. À quand remonte la dernière utilisation de l'objet ? (Où, quand et pourquoi ?)

6. Votre petite voix intérieure devrait surgir et vous donner un indice de l'endroit où il se trouve.

Comment s'assurer de récupérer les objets prêtés ou perdus

Porte-lunettes : glissez-y votre carte professionnelle ou vos coordonnées.

Livre : enfilez un signet avec votre nom et la date de retour suggérée. Reportez cette date à votre agenda pour rappeler la personne le jour venu.

Vêtement: collez ou épinglez une étiquette plastifiée avec la mention «propriété de...».

Outil électrique ou manuel: il est plus facile de récupérer son outil lorsqu'on a emprunté un outil en retour. Cultivez le principe donnant-donnant. Le jour de l'emprunt, fixer une date limite de retour en exigeant que l'outil vous soit remis en parfaite condition ou qu'il vous soit remplacé par un neuf.

Porte-monnaie, carte de transport, agenda, mallette ou sac à main: inclure une carte professionnelle ayant l'indication «appartient à... s.v.p. communiquer immédiatement au numéro de téléphone...». Remettez un rapport à la sécurité de l'endroit où vous avez perdu l'objet ou à la police, selon le cas.

Passeport: toujours produire une photocopie que vous laisserez à une personne de confiance avant votre départ. En cas de perte ou de vol, récupérez la copie et présentez-vous au bureau du consulat du Canada. Les délais de production devraient être plus rapides.

Si prêter un objet vous stresse ou vous inquiète, je vous suggère de ne pas aller de l'avant avec ce prêt.

Cinq raisons pour ne pas déménager le 1er juillet prochain

1. Laisser aller vos vieilleries: trier, donner ou jeter. Décidez de vivre plus léger.

Avantage: plus d'espace

2. Changer la couleur de vos murs ou ajoutez-y un effet pochoir à la verticale.

Avantage: nouvelle énergie et ambiance

3. Changer de nappe de cuisine, d'édredon, de rideaux de salon ou de revêtements de canapé.

Avantage: des compliments de vos invités et une nouvelle raison de profiter de vos meubles.

4. Agencer vos meubles et objets d'une nouvelle façon.
Avantage : pour l'effet de changement immédiat

5. Plus d'argent en poche.
Avantage : pour être libre de sortir du chaos du 1er juillet et de relaxer alors que plus d'un million de personnes suent et peinent, beau temps mauvais temps.

Si le déménagement ne peut être évité

On déménage !

Cochez ou surlignez les cases appropriées à mesure qu'elles sont accomplies.

Dès que possible !

❒ Fixez la date du déménagement.

❒ Entente sur l'heure du départ du locataire actuel de votre nouvelle adresse.

❒ Réservez le déménageur.

❒ Donnez/Vendez/Jetez tout objet que vous ne voulez plus.

❒ Dressez la liste des gens qui pourraient vous aider.

❒ Ramassez les boîtes. Environ 50 pour un 5 pièces, 75 pour un 7-8 pièces.

6 à 8 semaines avant le jour J

❒ Commencez par l'emballage des choses hors saison puis les choses les moins utilisées.

Objectif : une boîte par jour minimum. Identifiez chaque boîte à la pièce où elle ira : ex : C pour cuisine/ S pour salon.

❒ Photographiez vos objets de valeur avant de les emballer en cas de bris le jour J.

Un mois avant le jour J

❐ Rapatriez les objets prêtés

❐ Retournez les objets empruntés.

❐ Prévoyez un service de gardiennage le jour du déménagement

❐ Notez les dimensions des fenêtres du nouvel emplacement pour prévoir l'achat de l'habillage.

❐ Faites le plan du nouveau logement et planifiez la disposition des meubles.

❐ Planifiez l'interruption des services et leur rétablissement le jour J.

❐ Réservez l'ascenseur, au besoin.

❐ Confirmez le rendez-vous et les tâches de vos aides.

La veille du déménagement

❐ Dégagez les corridors ou l'entrée.

❐ Préparez une boîte SOS et la trousse de premiers soins.

❐ Rangez les jouets des enfants.

❐ Préparez un lunch et mangez les restants contenus dans le frigo.

❐ Démontez les derniers meubles et ranger.

❐ Réservez des places de stationnement pour le camion et les autos de vos amis.

Le jour du déménagement

❐ Prenez un bon déjeuner.

❐ Confirmez l'heure d'arrivée du déménageur.

❐ Prenez le relevé du compteur électrique.

❐ Donnez directives au déménageur et vérifiez la liste d'inventaire déjà établie

❐ Dernier tour de vérification.

❐ Petit coup de balai partout par politesse.

❐ Baissez le chauffage.

❐ Éteignez l'éclairage.

❐ Sortez les ordures.

❐ Verrouillez les portes et laissez les clés selon l'entente établie

Changements d'adresse

- ❒ Bureau de poste
- ❒ Cie de téléphone/cellulaire
- ❒ Câblodistributeur
- ❒ Hydro-Québec/Cie d'électricité
- ❒ Compagnie de gaz/mazout
- ❒ Impôt fédéral/Impôt provincial
- ❒ Aide sociale
- ❒ Allocations familiales
- ❒ Assurance-chômage/CSST
- ❒ Permis de conduire/ Immatriculation
- ❒ Concessionnaire auto
- ❒ Régime de pension et sécur. vieillesse
- ❒ Assurance Auto/Maison/ Vie
- ❒ Émetteur de carte de crédit
- ❒ Banque
- ❒ Employeur
- ❒ Dentiste
- ❒ Avocat/Notaire
- ❒ Médecin de famille
- ❒ Optométriste
- ❒ Vétérinaire
- ❒ Syndicat
- ❒ École et garderie
- ❒ Associations
- ❒ Bibliothèque
- ❒ Journaux/Abonnements divers
- ❒ Club divers/Paroisse
- ❒ Parents/Amis

Éléments à considérer

Changement d'adresse :

Le portail du gouvernement du Québec vous aidera à effectuer, en quelques clics, vos changements d'adresses à six ministères et organismes.

Site Web : www.gouv.qc.ca/citoyens ou communiquez avec Service Québec :

Région de Québec : 418-644-4545
Région de Montréal : 514-644-4545
Ailleurs au Québec : 1-877-644-4545 (sans frais)

Postes Canada a pris l'initiative de créer un outil de gestion des déménagements. Plus que des conseils, des outils pratico-pratique pour simplifier tout ce qui entoure votre déménagement. Un incontournable.

Site Web : www.demenageur.ca

Déménageur :

La compagnie de déménagement peut seulement respecter le premier rendez-vous de la journée. Les autres s'enfileront selon les imprévus rencontrés tels que la température, l'accès au nouveau domicile, etc.

Obtenez le nom de l'assureur et le numéro de la police d'assurance du déménageur.

Vérifiez les conditions de dédommagement en cas de bris ou de pertes ainsi que le montant de la franchise.

Avant de signer et de payer la compagnie, prenez le temps de bien vérifier si toutes vos boîtes sont intactes et que les objets de valeurs sont tous sur place.

Transportez vous-même les plantes, vêtements et objets de valeur ainsi que les lampes.

Aliments :

Il est conseillé de consommer les aliments congelés avant le jour du déménagement pour ne pas perdre la qualité nutritionnelle dans le transport ou dans l'attente du temps de refroidissement du congélateur à son nouvel emplacement.

Les boîtes :

Les compagnies de déménagement ou de cartons (référez-vous aux Pages Jaunes) peuvent faciliter votre approvisionnement de boîtes appropriées pour un coût moyen de deux dollars chacune. Les boîtes de même format facilitent le rangement dans le camion de transport.

Utilisez des petites boîtes avec un double fond pour les livres.

Munissez-vous de ruban adhésif avec dévidoir. Cela vous simplifiera la vie lors de la fermeture des boîtes.

Collez du ruban adhésif sur chaque miroir pour former un X. En cas de bris, les morceaux seront retenus par le ruban.

Collez la liste du contenu de chaque boîte sur le devant de celle-ci pour ne pas devoir toutes les ouvrir afin de trouver un item.

La boîte SOS contient les outils de base pour la journée du déménagement, essuie-tout, chiffons, balais, ramasse-poussières, ampoules électriques, ustensiles et vaisselle jetables, savon, les essentiels de toilette, etc.

Au nouveau logement :

En arrivant, notez les dommages et les réparations qui seront à effectuer.

Une personne responsable qui connaît tous les détails du déménagement supervisera en tout temps.

Prenez en note le relevé du compteur d'électricité et du compteur de gaz, selon le cas.

Prenez soin d'avoir inclus dans le bail de votre nouveau logement, le changement des serrures dès que vous aurez emménagé.

Question fréquente

Je suis organisée mais pas mon conjoint. Que faire?

(La forme féminine est utilisée mais cette question est valable pour les deux sexes.) Prenez un rendez-vous avec votre conjoint. Discutez avec lui des choses qui vous agacent ou qui vous stressent ou, encore, qui minent votre planning. Ouvrez les voies de la communication franche. Demandez-lui sa pleine attention puis dites-lui comment vous vous sentez face à cette situation. Exprimez les émotions qui bouillent en vous. Expliquez-lui ce qui est le plus difficile à vivre pour vous et ce qui vous aiderait à y faire face. Partagez votre fardeau. Efforcez-vous d'écouter ce qu'il a dire. Il y a sûrement des raisons qui le font agir ainsi. Creusez et fouillez au-delà de la surface pour trouver ce qui se cache sous cette désorganisation chronique.

Est-ce que votre partenaire à été trop chouchouté dans son enfance? Les parents pensent bien agir en faisant tout pour leurs enfants mais ils les privent d'outils essentiels qui leur serviront pour le reste de leur vie. On crée des enfants rois qui attendent d'être servis. Rendus à l'âge adulte, ces hommes et ces femmes sont démunis devant la tâche d'un lavage à la main, du repassage d'une chemise, de cuire un œuf et parfois même de gérer leur paie. Ils sont le centre du monde. Inconsciemment, ils se cherchent un parent comme partenaire. Ces gens doivent prendre conscience un jour ou l'autre (préférablement aujourd'hui) que ce temps est expiré. S'ils veulent que leur partenaire soit heureux, ils devront produire des efforts soutenus. Avoir de l'ordre, ce n'est pas régimenter sa vie, c'est y voir clair pour avoir plus de temps pour les choses que l'on aime. Ils devront avoir de la volonté et de bons outils pour y arriver: agenda, minuterie, liste de choses à faire et échéanciers, une partenaire qui ne flanche pas lorsqu'il se présentera tout sucre tout miel afin de la manipuler pour qu'elle exécute pour lui ses tâches préétablies, des routines et des récompenses adéquates.

Si vous avez des enfants, vous devez absolument montrer votre solidarité devant eux. Les enfants ont besoin de routine et de constance. Si vous leur demandez de ramasser les jouets à la fin de la journée mais que votre partenaire laisse traîner vêtements, paperasses, articles de sport et autres, vous leur envoyez un message dissonant. La gestion de type deux poids deux mesures ne crée que des frustrations.

Surtout, n'effectuez pas les tâches des autres pour les sortir du pétrin. Après quelques retards catastrophiques, quelques rendez-vous importants manqués, il se ralliera.

Bon courage !

La vente de garage : guide de préparation

Avant d'afficher au supermarché, dans le journal local ou aux coins des rues passantes, vérifiez avec votre municipalité si vous avez besoin d'un permis. Vous ne voudriez pas que l'on vous reprenne votre profit par une malencontreuse contravention ! Certaines municipalités organisent des foires aux résidents dans les parcs durant l'été ou dans les sous-sol d'églises le reste de l'année.

La préparation

Pour que les acheteurs affluent, il est toujours préférable de s'unir à d'autres personnes, voisins et amis. Des échanges avantageux peuvent se compléter. La journée passe plus vite. L'union fait la force. Votre objectif est de capter l'attention des passants. En une réunion bien menée, vous pouvez organiser cet événement.

Rassemblez tous les items à vendre dans les deux semaines qui précèdent l'événement. Puis, classez-les par catégories et étiquetez les prix.

Mettez les vêtements sur des cintres suspendus à une corde sur laquelle tous les toutous pourront être retenus par des épingles.

Les livres iront dans des boîtes non pas empilées mais debout afin de voir l'épine du livre. De grâce, agencez les titres des livres tous dans le même sens. Vous ne voulez pas donner un mal de tête à vos clients potentiels.

Les menus articles seront installés sur une table et les meubles seront déposés sur une surface plate de préférence.

Pour vous faciliter la vie, chaque voisin aura une étiquette de prix de couleur différente (ex. Les Gagnon : vert, les Tremblay : blanc, etc.).

Prenez en photo les objets dont vous voulez garder un souvenir.

En décidant à l'avance de ce que vous ferez avec les profits gagnés lors de cette journée, vous motiverez vos troupes à aller jusqu'au bout.

Les prix

Gardez les prix bas. Vous voulez vous débarrasser de vos choses, non ? Soyez prêt à marchander et réduisez les prix dans les deux dernières heures de la vente. Préparez une affiche avec un fond de boîte de carton et un marqueur de couleur foncée avec la mention « 50 % » sur certains articles. Rassemblez les petits articles. Si vous ne voulez pas étiqueter tous les petits articles, fabriquez une fiche de prix comme dans les magasins (ex : bibelots : 1 $, toutous : 50 cents, verres : 25 cents. Demander le 2/3 du prix payé pour les articles presque neufs.

Étiquetez les gros items afin de donner l'opportunité aux acheteurs de préparer leur marchandage.

Le temps de l'année

L'été, de préférence, soit après le 1er mai jusqu'à la fin de semaine de la fête du travail.

Le lieu

Si vous êtes seul, installez-vous devant votre résidence ou dans votre cour donnant sur une rue passante. Une atmosphère festive attire les acheteurs. Optez pour un fond musical du genre sud-américain.

L'affichage

Affichez à la hauteur des yeux, une vingtaine d'affiches, une semaine avant la date fixée. N'inscrivez pas votre numéro de téléphone. Envoyez une affiche par courriel aux amis et connaissances. Ayez une mascotte d'un jour pour attirer l'attention des passants. Sinon, ayez une grande pancarte sandwich à une intersection clé pour détourner la circulation vers votre lieu de vente.

Autres considérations

Réfléchissez sur votre comportement lorsque vous êtes l'acheteur dans ce genre de vente. Qu'aimez-vous ? Que reprochez-vous ? Puis, ayez une approche productive face à ces observations.

Si vous avez des enfants en bas âge, un service de garde pourrait être considéré.

Préparez un pique-nique ou commandez votre repas pour ne manquer aucune vente.

Un minimum de deux personnes est requis en tout temps pour l'accueil, la surveillance et le marchandage avec les clients.

Prévoyez des sacs pour emballer les achats.

Prévoyez suffisamment de monnaie et billets en petites coupures. Gardez toujours l'argent sur vous ou dans une sacoche fixée à la ceinture.

Donnez les items non vendus à une œuvre de charité. Certaines œuvres offrent des reçus d'impôts pour vos dons.

Prévoyez de retirer les affiches publicitaires les jours suivant l'événement.

Les marchés aux puces

Comment ne pas se faire avoir ?

La préparation est primordiale sinon vous vous dirigez vers un nouveau bric-à-brac.

- Composez une liste écrite de vos besoins (ex: table de salon, commode, etc.).
- Apportez un galon à mesurer et un diable pour transporter vos achats de kiosque en kiosque.
- Si vous avez l'intention d'acquérir un gros item comme une commode, mesurez l'espace qu'il remplira et allez-y avec un véhicule approprié. Les marchands n'offrent ordinairement pas la livraison.
- Portez un sac à dos confortable pour avoir les mains libres.
- Ayez de l'argent en petites coupures (20$ étant la valeur la plus élevée) puisque les cartes de débit ou de crédit sont inutiles.
- Établissez un budget maximal pour chaque item de votre liste d'achats.
- Portez de bons souliers de marche.
- N'y allez pas seul. Deux paires d'yeux valent mieux qu'une.
- Apportez vos appareils de communication de courte distance ou votre téléphone cellulaire, appareil photo Polaroïd, crème à mains, crème solaire, qui peuvent être utiles et rendre l'activité plus agréable.

Sur place

Ne vous attendez pas à trouver ce que vous cherchez sans avoir à le décaper, le peinturer ou le modifier sinon achetez-le neuf. Vous pouvez trouver les poignées de la commode à un endroit et le dessus de la table du salon à un autre. Par exemple, imaginez des barreaux d'escalier installés comme pattes d'une table de salon. En d'autres mots, ayez l'esprit ouvert et un peu d'imagination. Entraînez-vous à voir les possibilités en toute chose.

Soyez attentif à la façon dont certains marchands font l'étalage de leur marchandise. Ils ont souvent de bonnes idées qui peuvent servir chez vous.

Négociez

De toute façon, les marchands s'y attendent mais ne vous attendez pas à des miracles. Ils sont là pour vendre. Leur objectif est de repartir les mains vides. Notez que plus il y a d'achalandage, moins ils seront enclins à marchander.

Questionnez : la provenance de l'objet, son histoire, etc.

Examinez bien la marchandise, les craquelures ou fêlures, la marque du fabricant ou de l'artisan, l'état général. Tous ces facteurs sont importants à considérer avant de demander le prix.

Si le prix ne vous satisfait pas, demandez au marchand s'il peut ajuster son prix. Si vous n'êtes pas familier avec le marchandage ou la négociation, écoutez les acheteurs aguerris autour de vous et imitez-les. Prenez-le comme un jeu.

Stratégie de première instance

Arrivez tôt. Si les portes ouvrent à 9h00, arrivez vers 8h00 et préparez votre stratégie durant l'attente.

Stratégie de dernière instance

Si le prix d'un item convoité est toujours trop élevé pour votre portefeuille, notez l'emplacement du marchand, et dites-lui que vous allez revenir plus tard, soit juste avant la fermeture. Si l'item est toujours là (vous prenez une chance), vous avez de bonnes chances de l'emporter. Rappelez-vous qu'ils veulent vendre mais au bon prix. Soyez juste.

Guide d'achats de produits « sauve-temps »

Les Bureau en gros, magasins à grandes surfaces, IKEA, magasins à un dollar et grands centres de rénovation vous seront d'une aide remarquable pour dénicher des outils « sauve-temps » qui vous simplifieront la vie et vous permettront de mieux organiser votre temps et votre espace. Les prix sont approximatifs et ne comprennent pas les taxes ni la livraison.

Travail

- **Pinces-notes d'étiquetage Pendaflex PileSmart**

Ces pince-notes sont visibles même lorsque les documents sont empilés et sont faits de caoutchouc sur lequel on peut écrire et effacer pour une réutilisation future. Peuvent tenir jusqu'à vingt feuilles de papier. Couleurs variées.
Prix approximatif : 7 $ le paquet de 12.

- **Dossier suspendu Pendaflex Ready-Tab**

Ne cherchez plus les onglets d'étiquetage lors de vos prochains classements. Ce dossier suspendu est doté d'onglets transparents à même le dossier ; il suffit de plier l'onglet à la position désirée, jusqu'à 5 positions possibles.
Prix approximatif : 47 $ par boîte de 25 dossiers.

- **Distributeur de feuille protectrice At hand sheet de Oxford**

Fini le temps des feuilles protectrices froissées ou introuvables. Ce distributeur ressemble à une boîte de sac de type Ziploc. Se range facilement. Boîte de 50.

- **Range-tout pivotant 360 degrés**

Pour stylos, règle de 12 pouces, marqueurs, ciseaux, trombones, articles de bureau à usage quotidien.
Prix approximatif: 12$.

- **Filière accordéon de format légal ou lettre/alphabétique ou numérique.**

Prix approximatif: 6$.

- **Cahier de bord et agenda répondant à vos besoins et préférences.**

Prix approximatif: 5$ et plus.

- **Notes autocollantes de différents formats et notes autocollantes pour envoi de télécopies.**

Prix approximatif: entre 1.50$ et 7$.

- **Porte-revues en carton, métal ou plastique**

Prix approximatif: entre 3$ et 20$ par paire.

- **Déchiqueteur automatique**

Détruit six feuilles à la fois. Disponible dans les grandes surfaces et chez les bons quincailliers.
Prix approximatif: entre 20$ et 40$.

- **Étui de rangement pour projets**

En plastique transparent vous permettant de voir son contenu.
Protégera revues, rapports, photos, reçus, disquettes ou cartes routières, recettes, travaux de broderie, etc.
Prix approximatif: entre 5$ et 150$.

- **Chemises de format légal ou lettre avec onglets disponibles en différentes couleurs**

Prix approximatif: 4$ pour 10 chemises.

- **Organisateur de casier**

Au travail, pour les étudiants et les sportifs. S'installe dans un casier standard. Fabriqué de nylon et muni de pochettes pour ranger stylos, disquettes et autres petits effets personnels.
Prix approximatif: 13$.

• Pince-papier pour ordinateur
Ce porte-papier en plastique se fixe sur le côté de l'écran d'un ordinateur afin de tenir une feuille de papier à la hauteur des yeux. N'est pas recommandé pour les ordinateurs portatifs.
Prix approximatif: 8$.

Vêtements

• Cire à chaussures
Une brosse à chaussures avec cire intégrée pour réduire le temps de cette tâche parfois nécessaire. À placer près du range-souliers.
Prix approximatif: 2$.

• Le Space Bag
Disponible en format petit, moyen, grand et format de voyage. Réduit de 75% l'espace requis. Maintenant disponible dans les grands centres d'achats et quincailleries.
Prix approximatif: entre 7$ et 20$.

• Porte-cravates et porte-ceintures en bois
Disponible dans les magasins à grande surface.
Prix approximatif: entre 22$ et 42$.

• Range-chaussures
Sac à 20 poches transparentes s'installant à une porte. Quatre crochets supérieurs sont présents pour un accrochage sécuritaire et résistant. Peut ranger une dizaine de paires de souliers.
Prix approximatif: 10$.

• Support à chaussures
Fini les chaussures en désordre ou une par-dessus l'autre, favorisant l'accumulation de poussière. Quatre tablettes en fil métallique vinylisé. Peut ranger entre 10 et 21 paires de souliers. Se range facilement dans toute penderie de grandeur standard.
Prix approximatif: 30$.

• Organisateur de penderie 5 jours pour enfants
Sept tablettes verticales ayant chacune son jour de semaine, une tablette pour les souliers et une autre en extra. Vous et votre enfant pouvez planifier à l'avance sa garde-robe hebdomadaire. Sauve-temps du matin

lui donnant aussi un sens du temps qui passe. Les attaches en tissu adhèrent à la tringle de sa penderie.
Prix approximatif : 30 $.

- **Cintre porte-jupes avec pinces en métal.**

Évitera les faux plis.
Prix approximatif : 1 $.

- **Panier de luxe pour rangement sous le lit : sur roulettes ce bac en métal vinylisé est aussi disponible en plastique résistant avec couvercle assorti. Disponible dans la marque Rubbermaid.**

Prix approximatif : entre 20 $ et 40 $.

- **Sac à filet pour lessive spécialement conçu pour la lingerie.**

Contient jusqu'à quatre compartiments. Plus besoin de laver sa lingerie à la main.
Prix approximatif : 10 $.

- **Le nettoyeur du coin dans votre sécheuse**

Le produit Dryel enlève les odeurs de transpiration, de cigarettes et les taches. Doux pour vos tissus, il n'en coûte qu'approximativement 60 ¢ par morceau à nettoyer. Très parfumé, il n'est pas recommandé pour ceux qui souffrent d'allergies.
Prix approximatif 15 $.

- **Dockers pour hommes**

Pantalon sport ayant un résiste-taches intégré au tissu.
Prix approximatif : 60 $. Disponible dans les magasins à rayons.

- **Tablettes extensibles de TubetechLLC.com**

Anti-moisissure. Peut tenir jusqu'à 200 livres. Manufacturé de métal. S'installe en trois minutes.
Prix approximatif : jusqu'à 42 pouces environ 35 $, jusqu'à 72 pouces environ 45 $.

Ménage du printemps en tout temps

• **Prolav**

Un produit québecois et biodégradable pour tout nettoyer de la cave au grenier. Disponible sur www.shoppingtva.ca, 1-800-361-6100.
Prix approximatif: 50$.

• **Chiffon magique en microfibres**

Linge miraculeux de haute technologie, fonctionne sans produit nettoyant, à sec ou humidifié avec de l'eau chaude. Nettoie chrome, argent plaqué, miroir, émail, laiton, verre, cuir, tuile, vinyle, plastique et céramique. Extrêmement durable, très absorbant. À laver séparément.
Prix approximatif: entre 1$ et 6$.

• **Fourre-tout pour l'auto**

Gardez votre voiture propre et rangée à l'aide de ce fourre-tout à deux courroies. Il adhère bien au dossier d'un des sièges avant. Muni de pochettes de différentes grandeurs. Pratique en voyage, pour ranger cartes routières, friandises, boîte de mouchoirs ou objets d'enfants.
Prix approximatif: 10$.

• **Range-serviettes de bain**

Comprend trois tringles pour accrocher serviettes de grandeur moyenne. Crochets inclus pour une installation facile sur une porte.
Prix approximatif: 15$.

• **Range-tout de porte**

Pour les menus articles de bureau, de maquillage, bijoux ou articles de pêche, de couture, etc. De grandeurs variées, les 96 pochettes de vinyle transparentes sauront vous rendre la vie facile. S'accroche à une porte ou se suspend au mur.
Prix approximatif: 15$.
Aussi disponible avec 42 pochettes ou 7 rangées de trois pochettes doubles.
Prix approximatif: 30$.

• **Boîte range-tout de Rubbermaid**

Pour ranger 20 enveloppes à photos, 32 CD, 27 DVD ou 15 vidéocassettes. Prix approximatif: 15$.

• **Bac de rangement profond**
Pour ranger de gros objets. Entre 83 et 109 litres de capacité.
Prix approximatif: entre 5$ et 15$.

• **La vadrouille et lingettes Swiffer**
Efficace autant sur le linéolium que sur le bois franc.
Prix approximatif pour une vadrouille et 8 lingettes: 13$.

Quand le ménage est terminé!

Prélassez-vous dans un bain de bulles style Spa Massage. Même si vous n'avez pas de bain tourbillon ou thérapeutique, le tapis massage à bulles de Homedics offre un puissant jet d'air qui remplit votre baignoire de bulles.
Prix approximatif: 60$.
Disponible dans les grandes surfaces ou sur le site Web suivant: http://www.homedics.com D'autres produits sont disponibles sur ce site Web.

• **Crochets avec commande de 3M**
Crochets à adhésif qui n'enlèvent pas la peinture lorsqu'ils sont retirés.
Prix approximatif: 3$ le paquet.

Cuisine

• **Minuterie d'une heure**
Prix approximatif: entre 1$ et 10$.

• **La famille des sacs Ziploc** (Slide-loc pour congélateur, Pratico-faciles, Double-garde)
Prix approximatif: entre 2$ et 4$.

• **Smart Spin**
Seize contenants carrés, transparents, gradués ainsi que 16 couvercles universels. Le tout monté sur un carrousel. Prend un pied carré.
Prix approximatif: 20$.

- **Mini lave-vaisselle, mince alors!**

D'une largeur de 18 pouces seulement, il peut accueillir un service de vaisselle pour 8 personnes. Portatif ou encastrable selon la marque et le modèle.
Les prix varient selon les marques régulières ou haut de gamme.
Prix approximatif: entre 550$ et 1500$.

- **Tableau de liège ou planificateur mensuel**

Réutilisable mois après mois. Pour se laisser des messages, pour les activités parascolaires, pour les rendez-vous ou les sorties à ne pas manquer.
Prix approximatif: entre 7$ et 40$.

- **Support à couvercles**

S'installe avec quelques vis au revers des portes de rangement de la cuisine. Peut accueillir différentes grandeurs de couvercles. Ordinairement en métal vinylisé ou en plastique résistant.
Prix approximatif: entre 7$ et 10$.

- **Paniers coulissants sous l'évier**

Utilisez tout l'espace de rangement disponible sous l'évier en rangeant les produits nettoyants. Composé d'une structure en fil d'acier avec un revêtement en PVC.
Prix approximatif: 25$ pour un ensemble de deux paniers-tiroirs.

- **Plateau tournant pour produits alimentaires**

Maximisez l'espace de rangement avec ce plateau rond à deux étages. Disponible en différents formats et matériaux.
Prix approximatif: entre 10$ et 60$.

- **L'essentiel range-tout**

Pot à ustensiles de cuisine, ouvre-boîte manuel, tasses à mesurer, pots à épices: le tout sur un socle pivotant.
Prix approximatif: 20$.

Voyage

• **Thermacare Heat**
Pour ne plus avoir de courbatures durant les longs voyages.
Disponible en pharmacie.
Prix approximatif : 10 $.

• **Vin cartonné de Lassonde**
Des vins en provenance de la France (Chardonnay et Syrah), d'Espagne (Tempranillo), d'Italie (Merlot) et d'Argentine (Malbec) sous l'étiquette Bistro Mundo Import sont maintenant disponibles sur les tablettes des épiceries et dépanneurs. Idéal pour vos pique-niques. Le contenant est léger, refermable et pratique. Contenant de un litre 100 % recyclable.
Prix approximatif : 11 $.

Garage/Sous-sol

• **Murs à crochets** (pour espaces de rangement comme le garage), système de lattes horizontales où l'on peut accrocher les crochets amovibles.
Disponible dans les grands centres de rénovation.
Prix approximatif : dépendra de la grandeur du mur où l'on veut installer ce système.

• **Range-outils**
Chariot logeant jusqu'à 30 outils. Centre en acier pour plus de solidité et de stabilité. Quatre roulettes pour déplacement aisé.
Prix approximatif : 60 $.

Prenez une pause le temps que je vous raconte

En semaine, au petit matin, Caroline est souvent dans tous ses états. « Rien à se mettre sur le dos et pourtant un *walk-in* plein à craquer », me dit-elle. Pendant qu'elle va répondre au téléphone, je sors tous les souliers et je les dispose par catégorie (bottes, pantoufles, souliers de marche, souliers à talons, etc.). Elle est horrifiée à son retour. Pas tout ça ? Environ 80 paires. Après un *blitz* de quinze minutes, il n'en reste plus qu'une douzaine en face de nous. Délivrance !, me dit-elle. Un pas dans la direction d'une garde-robe qui lui ressemble !

Statistiques

Selon un sondage CROP-Châtelaine, 33 % disent que le défi numéro un des femmes en 2006 est la conciliation travail-famille (source : Châtelaine, avril 2006).

Selon le recensement canadien de 1996, la moyenne canadienne des heures consacrées aux travaux ménagers sans rémunération, effectués par des personnes de 15 ans et plus, variait entre 4 et 14 heures (source : Statistiques Canada).

Le désordre crée environ 40 % de plus de travail ménager chez nos voisins du Sud. (À bien des égards, les Canadiens peuvent s'inclure dans cette statistique.)

Durant ma recherche pour la rédaction de ce livre, j'ai demandé aux responsables du site Web Kitchenkeeper.com de mener un sondage en ligne. Ma question : « Combien d'aliments se retrouvent à la poubelle à tous les mois ? - de 5 %, 10 %, 25 % ou + de 30 % ? ».

Sur les 555 répondants, 60 % ont affirmé jeter 25 % et plus de leur nourriture à la poubelle.

Les Reader's Digest, Walt Disney World, Apple 1 de Apple Computers et Hewlett-Packard de ce monde ont tous été créés dans des garages.

Les premiers garages de 1900 étaient dessinés pour abriter plusieurs automobiles et donner une demeure au chauffeur.

L'un des premiers garages vient de l'homme qui a créé le buggy sans chevaux, soit Henry Ford. Il a inventé le moteur qui pouvait propulser un buggy à quatre roues dans le garage d'un voisin.

(Source : « Garage, Reinventing the Place we park » par Kira Obolensky, *The Taunton Press*, 2001, 202 pages.)

Sites Web

www.menageaide.com
Service de femmes et d'hommes de ménage. Pour connaître le franchisé de votre région, appeler aux numéros suivants :
Région de Montréal, Rive-Sud et Montérégie : 514-871-9333
Région de la ville de Québec : 418-622-5474.

www.closetmaid.com
Organisez vos espaces de rangement à la carte pour la cuisine, salle de bains, salle de lavage, garage et bureau. Hyperlien avec le site des produits Stack-a-Shelf. Liste de magasins où se procurer les produits selon votre région.

www.myspacebag.com
Sacs de rangements qui réduisent l'espace jusqu'à 75 %.

www.rubbermaid.com
Des contenants et outils pour vous simplifier la vie.

www.realsimple.com
Magazine américain, informations et trucs pour se simplifier la vie.

www.consumerreports.org
Information et trucs sans publicité sur les produits de consommation.

www.protegez-vous.qc.ca
Site d'informations et de mises en garde sur divers produits et services.

www.dricore.com
Fini les planchers de sous-sol froids et humides. Le plancher flottant Dricore est différent. Visitez le site pour en savoir plus.
Appel sans frais : 1-866-767-6374.

Vos notes

Vos notes

Chapitre 6
Pas de panique, c'est le temps des fêtes

Les festivités de fin d'année demeurent des incontournables. Mais si vous souhaitez arriver aux douze coups de minuit calme et prêt à festoyer, voici quelques trucs.

La tempête d'idées du 1er novembre au 1er décembre

Écrivez tout ce que vous avez à mettre en marche pour les fêtes. Voici ce que cette liste pourrait inclure.

- Imprimez un calendrier du mois de décembre assez grand pour y inscrire vos activités projetées à chaque jour. Commencez par écrire les activités du 31 décembre et rebroussez chemin jusqu'au 1er afin de ne rien manquer.

- Préparez la liste des personnes essentielles à ne pas oublier puis, inscrivez l'action à exécuter pour chacun. Envoyez une carte par la poste ou par courriel. Si vous avez plus de dix lignes à écrire, vous feriez mieux de passer un coup de fil.

- Précisez dès maintenant le genre de cadeaux que vous comptez offrir, les coûts rattachés à chacun, la façon et le moment où vous allez les remettre.

- Les magazines spécialisés en cuisine et autres regorgent de recettes pour la création de votre menu. Découpez les recettes qui vous inspirent et regroupez-les dans une enveloppe.

- Offrez les denrées non périssables à un organisme de charité. Choisissez quelle association vous voulez avantager. Chacune a habituellement une date limite avant laquelle vous devez apporter vos dons.

- Acceptez ou déclinez les invitations (après consultation avec votre partenaire de vie ou vos amis, s'il y a lieu).

- Les vêtements qui seront portés lors de soirées spéciales requièrent-ils des améliorations ou un nettoyage à sec? Devez-vous absolument acquérir un nouveau vêtement?

L'approvisionnement

L'achat d'aliments peut être accompli petit à petit au cours des deux semaines précédant l'événement, selon les plats à préparer. Tous les supermarchés offrent de bonnes aubaines durant le mois de décembre. Il est sage de se référer aux circulaires pour connaître le supermarché répondant le mieux à vos besoins.

Les magasins spécialisés et les épiceries fines peuvent vous accommoder avec des aliments plus rares (huîtres, fromages, vinaigre de vin, pâtés de lapin, etc.). Il suffit de les commander dès que vous aurez arrêté vos choix de menus.

Rédigez un échéancier détaillé des plats à préparer. Certains mets peuvent supporter une préparation complète ou semi-complète allant jusqu'à deux jours avant la date prévue, tout en conservant saveur et fraîcheur.

Les aliments périssables ne seront achetés que quelques jours avant l'événement.

La Société des Alcools offre aussi des rabais sur certains vins durant le mois de décembre. Une bouteille de un litre sert environ 5 verres de 200 ml ou 1/2 tasse.

Qui dit achat de denrées dit espace de rangement à trouver. Préparez votre frigo pour recevoir tous ces aliments en évacuant les restes, en identifiant une tablette pour les produits à ne pas entamer (gâteau, fromages fins, petits fours, etc.), en rangeant dans de plus petits contenants les produits entamés et en jetant les produits qui sont brûlés par le froid dans le congélateur.

Au lieu de préparer des bacs de glace qui prennent trop d'espace au congélateur, achetez plutôt un sac de cubes de glace déjà préparés que vous laisserez dehors, au froid.

Le repas

Choisissez la formule du repas. Elle peut être de style buffet ou service à la table. Tout dépendra du nombre d'invités. S'il y a plus de dix personnes, le style buffet sera plus approprié.

Commandez avant le 15 décembre de préférence, à partir du menu d'un traiteur. Celui-ci pourra vous aider à le développer selon votre budget et le type de réception désiré.

Composez le menu détaillé à l'avance avec l'aide de votre enveloppe remplie d'idées. Ne vous compliquez pas la vie avec de nouvelles recettes pour épater la galerie. Vos invités n'auront pas plus de plaisir si vous cuisinez pendant six jours. Demandez à un(e) ami(e) de faire sa fameuse recette qui est toujours appréciée de tous.

Truc

Si votre repas a lieu après le 25 décembre, préparez un menu minceur moins gras, sans l'avouer. Le foie de vos invités vous remerciera.

Les tartes, les boulettes de viandes ou végétariennes et les tourtières (pâtés à la viande) peuvent se congeler à l'avance. La seule précaution à prendre est de bien les emballer afin que le froid ne les brûle pas et n'altère pas leur goût.

Diverses compagnies se spécialisent dans les plats préparés frais ou congelés (ex: Aliments M&M ou votre épicerie). Les services offerts durant le temps des fêtes varient d'un supermarché à l'autre.

Vous avez aussi la possibilité de mitonner un repas communautaire où les convives contribuent au repas en apportant des plats. Ce genre de repas est maintenant bien accueilli par tous. Par exemple, ceux-ci peuvent apporter les bouchées, les entrées, la ou les salade(s), les desserts tandis que vous préparez le plat principal et les boissons.

Truc

Pour les petites bouchées chaudes ou sushis, on calcule 5 bouchées par personne si un repas suit l'apéritif. Si les invités sont là uniquement pour un cocktail, on compte alors 9 bouchées par personne. Les plats de crudités sont en surplus.

Pour une grande tablée, disposez les plats sur la table afin que chacun y prenne les mets de son choix et la quantité voulue. Cela donnera l'occasion aux hôtes de manger en même temps que leurs invités.

L'organisation des lieux

Quelques jours avant l'événement, rangez les pièces qui seront occupées ou visitées par vos invités, si ce n'est déjà réglé. Chaque membre du foyer peut être responsable d'une pièce pour cette tâche.

Prévoyez suffisamment de couverts, d'ustensiles, de grandes assiettes, d'assiettes à dessert, de tasses et soucoupes, de verres à vin et à eau, de chandeliers, de chaises pliantes et de nappes. Ces accessoires s'empruntent facilement des collègues de bureau, des voisins ou des membres de la famille.

Truc

Demandez ces objets à l'avance, avec un rappel une semaine avant l'événement. Si possible, demandez aux gens de vous les apporter 48 heures à l'avance pour ne pas avoir de mauvaises surprises (chaises froides, nappes tachées ou verres sales).

Dressez vos tables la veille de l'événement afin de vous assurer de ne manquer de rien. Anecdote : une nappe pas comme les autres. Elle était tellement hors du commun que mes invités étaient bouche bée puis en émoi devant ce spectacle muet. L'une voulait la toucher, un autre voulait s'y étendre, un autre encore m'a regardé avec des yeux coquins.

Pourtant, ce n'était qu'une idée de dernière minute mais avec un effet exaltant comme résultat. De quoi s'agissait-il? Je vous le donne en mille? Tout simplement d'un tissu dont la texture imitait la peau velue d'un ours blanc. Tout cela pour vous dire que les couleurs traditionnelles du vert et du rouge sont à revoir, juste pour le plaisir.

Choisissez un fond musical à l'avance en tenant compte de l'atmosphère que vous voulez créer.

Truc

Disposer les CD sur le plateau de votre système de son la veille. Le jour de la fête, vous n'aurez qu'à le mettre en marche.

Si la fête comprend des enfants, louez quelques vidéocassettes. Certains rabais s'appliquent tels que: 3 films pour 3 jours. C'est avantageux.

Prévoyez des sacs d'épicerie vide pour ranger les bottes de vos convives. Celles-ci peuvent être déposées par la suite dans le bain pour dégager l'entrée principale de votre demeure. Les sacs vous éviteront un tas de dégâts et des accidents malencontreux.

Les manteaux pourront être rangés soit dans la garde-robe de l'entrée où on aura prévu des cintres additionnels ou encore, comme dans le bon vieux temps, sur le lit d'une chambre située près de la salle de bain.

Si vous avez plus de dix personnes dans un espace restreint, il est recommandé de baisser le thermostat de deux degrés afin que personne ne soit incommodé par la chaleur.

La décoration

Devenez échangistes!

Vos connaissances, amis, familles ont des guirlandes d'intérieur, boules ou autres décorations dont ils veulent se départir. Il suffit de les leur demander autour de l'Action de Grâce ou plus tard. Encore mieux, procédez à des échanges complets de décor. Vous ne pouvez plus voir votre arbre de Noël ou supporter votre décoration des fêtes ? Prêtez votre maison à des amis afin qu'ils installent leur décor chez vous et, vous, installez le vôtre chez eux. Plaisir assuré et renouvelable.

Plus jamais vous ne trouverez vos petites décorations brisées en ouvrant vos boîtes de décorations si vous les gardez dans les cartons d'emballage d'œufs. Ceux-ci protégeront vos joyaux des années durant.

Les guirlandes électriques extérieures devraient être installées à l'automne alors que le temps est encore clément. Pourquoi se geler les doigts ?

Truc

Faites l'essai électrique à l'intérieur avant l'installation. Vous saurez donc si des achats d'ampoules de remplacement sont nécessaires. Profitez-en pour vérifier si vos échelles et escabeaux sont toujours sécuritaires.

À ne pas oublier : les cadeaux

Aucun papier d'emballage n'est assez grand pour emballer un cadeau géant, procurez-vous une nappe des fêtes en papier plastifié et le tour sera joué.

Truc

Emballez vos cadeaux avec les bandes dessinées des quotidiens

Au lieu d'offrir la sempiternelle bouteille de vin à vos hôtes, soyez créatif en offrant un cadeau se référant aux cinq sens.

Pour la vue : quelques beaux ornements des fêtes emballés dans une boîte rigide festive. Le récipiendaire se souviendra de vous à chaque fois qu'il les sortira de la boîte.

Pour l'ouïe: un CD d'airs des fêtes en accord avec le style musical des hôtes.

Pour l'odorat: un cactus de Noël.

Pour le goûter: une liqueur alcoolisée du terroir québécois.

Pour le toucher: un stylo chic, amusant, coloré et unique, comme vos hôtes.

Échange de cadeaux

La pige de noms est une façon économique de susciter le plaisir et qui élimine les oublis.

Truc

Sur le coupon de tirage avec le nom de chacun, inscrivez trois choix de cadeaux qui respectent le budget établi par tous.

Dix idées cadeaux unisexes et passe-partout

60$	Trio de serviettes de bain de luxe de couleur unie.
50$	Chèque-cadeau pour un massage d'une heure dans un institut près du domicile du récipiendaire.
40$	Support ergonomique pour le poignet afin de manier sans tension la souris de l'ordinateur.
30$	Abonnement à une revue (un cadeau qui dure de 10 à 12 mois).
25$	Assortiment de grosses chandelles parfumées.

20$	Papeterie de bureau : papier de qualité pour imprimante, notes autocollantes, trombones, chemises accordéon numérique ou alphabétique, etc. Durant l'année, jouez au détective et prenez des notes sur ce que la personne utilise le plus.
15$	Cuisinez une recette de biscuits des fêtes. Présentez-les dans une boîte festive de fer blanc réutilisable.
10$	Cuisinez 5 repas principaux et offrez-les congelés.
0$	Composez une lettre d'amitié ou d'amour selon le cas, dites à la personne concernée combien elle est importante dans votre vie.

Lorsque vous choisissez un cadeau, il est toujours important d'avoir toujours à l'esprit ce qui ferait plaisir au récipiendaire et non pas ce qui vous ferait plaisir !

Lorsque vous offrez un cadeau à une personne qui a tout, pensez à offrir un cadeau périssable comme des fleurs ou son gâteau favori ou encore un chèque-cadeau.

Confiez vos idées de projet d'envergure à ceux qui sont susceptibles de vous offrir un cadeau. Par exemple, si vous prévoyez acquérir un chalet, élaborez une liste d'outils dont vous aurez besoin. Vous simplifierez la vie et le remue-méninges de votre bande d'amis.

Un cadeau est un cadeau. Vous avez le droit d'en faire ce que vous voulez.

Question fréquente

Que faire avec les cadeaux inutiles ? Doit-on les garder ?

Cela dépend de la personne qui vous a offert le présent. S'il vient de votre belle-mère ou d'une personne chère, gardez-le si vous croyez que cette personne s'attend à le voir bien en vue lors de sa prochaine visite. Cela contribuera peut-être à maintenir vos bonnes relations. D'autre part, si la personne qui vous l'offre ne connaît pas vos goûts, prenez la liberté de le donner à une personne qui l'appréciera.

Anecdote : j'ai déjà reçu un courriel qui avait pour titre : « Choses à ne pas m'offrir en cadeau ». Cette personne voulait prévenir sa liste de contacts qu'elle n'accueillerait plus avec le sourire une cinquantaine d'items. Le message était on ne peut plus clair.

Après le repas

Jeu de cartes

Lors d'un échange de cadeaux, deux jeux de cartes sont requis pour allonger le temps de cette activité. Le meneur ou l'hôte distribue une carte à chaque invité. Du deuxième jeu de carte, le meneur tire une carte à la fois et la nomme. Le but est de créer la paire avec la carte pigée par chaque invité. Lorsque la paire est jumelée, l'invité pige un cadeau qu'il développe sur-le-champ. Le meneur tire toutes les cartes jusqu'à ce que tous les invités aient formé la paire et pigé un cadeau.

Il y a toujours quelqu'un qui a un talent, un passe-temps à partager…

Mini-leçon de…. baladi, salsa, magie ou encore un mini-concert de musique ou de chant.

Truc

Offrez des prix de participation ou des chèques-cadeaux pour le participant ayant le plus contribué à l'équipe, le participant ayant provoqué le plus de rires, le participant ayant démontré le moins de savoir-faire pour gagner une partie, etc.

Le karaoké est à la mode et amuse beaucoup. On peut se procurer un cédérom ou louer une machine à karaoké dans les magasins spécialisés en électronique.

Jeux de société

Il y en a des milliers. Favorisez les jeux à plusieurs joueurs par exemple : Uno, Fais-moi un dessin, Deux vérités et un mensonge ou même le Bingo.

Activités physiques en plein air

Pratiquer le patinage sur glace, le traîneau à chiens, la raquette, la marche…

Dégustation d'apéritifs ou digestifs avec ou sans alcool.

Les vins de glace du Québec et de l'Ontario ont une réputation internationale. Sabrez différents champagnes. Dégustez différents chocolats ou saveurs de maïs soufflé.

Récapitulation

Prenez cela comme ça vient. De toute façon, rien n'est jamais parfait et gardez votre sens de l'humour. Ne prenez pas tout sur vos épaules, demandez de l'aide. On ne vous aimera pas moins.

Prenez une pause le temps que je vous raconte

Un Noël, ma mère et moi avions convenu que j'apporterais le dessert. J'ai donc décidé de faire un gâteau étagé forêt noire. Au moment de le servir, un de mes frères trouvait qu'il y avait de la résistance lorsqu'il y enfonçait le couteau. À ce moment là, tout le monde avait hâte d'y goûter. On a vite découvert le pot aux roses : lors de l'assemblage du gâteau, j'avais omis d'enlever le papier ciré sous chaque étage. On a bien ri.

Statistiques

En l'an 2000, 31 % des maisonnées américaines avaient un arbre naturel, tandis que 49 % avaient un arbre artificiel, 21 % n'avaient aucun arbre (source : *National Survey* par The National Christmas Tree Association).

C'est la pensée qui compte ! En l'an 2000, les Britanniques ont pris en moyenne 15 heures à magasiner pour leurs cadeaux de Noël, y retournant 5 fois et en marchant 20 milles pour trouver les cadeaux parfaits. Ils ont aussi attendu en ligne deux heures pour payer leurs trouvailles (source : www.learn.co.uk).

Pour la saison 2001, 58 % des achats en ligne aux États-Unis l'ont été par des femmes (source : Pew Internet & American Life Project, www.nua.ie/surveys).

Décorer la maison et le sapin est l'activité préférée du temps des Fêtes tandis que le magasinage arrive en dernière place (source : site Web www.petitmonde.com, sondage effectué en décembre 2005).

Sites Web

www.santa.com
En anglais seulement, à visiter avec les enfants pour les histoires, concours, jeux et écrire au Père Noël.

www.theholidayspot.com
En anglais seulement, à visiter pour trouver toutes sortes d'idées, de blagues, de recettes et de cartes de Noël.

www.123greetings.com
Site anglophone, pour envoyer des cartes de vœux par courriel et, ce, pour toutes les occasions.

www.saveursdumonde.net
Un des plus grands sites gastronomiques au monde. Recettes, conseils, traditions de Noël, trouvailles et trucs.

www.buynothingchristmas.org
Site qui offre une nouvelle perspective sur la société de consommation durant le temps des fêtes. Téléchargez le certificat d'exemption de cadeau.

www.consommateur.qc.ca
Site québécois qui vient à la défense des consommateurs. Visitez la rubrique « Le Cyberconsommateur » averti.

www.vipass.ca
Procurez-vous des chèques-cadeaux de plus de 25 compagnies et magasins québécois.

www.giftcards.ca
Procurez-vous des chèques-cadeaux des grandes compagnies canadiennes telles que : Sears, HBC, Winners, Loblaws, Indigo, Gap, etc.

Vos notes

Vos notes

Chapitre 7
Comment s'organiser pour garder plus d'argent dans ses poches ?

On a plus ou moins le contrôle sur l'argent que l'on encaisse, mais on doit prendre les mesures nécessaires afin de contrôler l'argent qui sort de nos poches. L'État accomplit ses devoirs, c'est maintenant aux particuliers de s'y mettre et de reprendre le dessus sur leurs finances. Comme le dit le mantra de Dianne Nahirny, auteur de *Stop working, start living*, retraitée à 36 ans : « Ce n'est pas combien vous gagnez d'argent qui compte, c'est ce que vous produisez avec l'argent qui reste après les déductions. » Donc, contrôlez votre argent sinon c'est lui qui vous contrôlera. Il est vrai que se priver n'est pas populaire mais être acculé au mur par des créanciers non plus. On doit reconnaître que l'argent est une énergie. Si on ne le respecte pas, il ira prendre logis ailleurs (créditeur, compétiteur, etc.). De même que, si on le serre trop fort par peur de ne pas en avoir assez, il ne grandira pas à son plein potentiel par manque d'espace. En desserrant son emprise et en nourrissant son potentiel (investir intelligemment, créer plus avec moins, contrôler les dépenses), il dégagera toute l'énergie qu'il renferme. Vous voulez plus d'argent dans vos poches ? Sortez votre calculatrice, voici mes trucs. Je n'ai pas de maîtrise en finances mais du gros bon sens.

Une journée gratuite par mois ? Pardon ? Il s'agit de passer 24 heures sans sortir d'argent de vos poches. Ceci inclut les cartes de crédit, le chéquier, la carte de débit, l'argent de papier ou la monnaie. Pourquoi ? Et bien, pourquoi pas ? Pour faciliter l'exercice et éviter les tentations, laissez votre porte-monnaie à la maison. La première journée sera moins longue si vous la passez avec un ami motivé. Et si une journée par mois s'avère trop facile, essayez-le une fois par semaine. Qui sait, ce jeu pourrait devenir une habitude. Pour ma part, je maintiens de 5 à 10 journées gratuites par mois. Le 26 novembre de chaque année a été décrété la journée internationale du non-achat.

Réflexion : À une fréquence d'une journée par semaine pendant un an, vous économiserez 364 $ (dépense moyenne de 7 $ par jour).

Payez-vous en premier

Avant de payer vos comptes, payez-vous en premier. Investir de 5 à 15 % dans un placement de votre choix vous aidera à prendre une retraite encore plus dorée. Cet argent n'est pas un REER, c'est un placement supplémentaire pour les petits et grands luxes futurs. Par exemple : mon premier dépôt n'était que de 120 $ mais je sais que les intérêts composés et la constance des dépôts feront boule de neige. Qu'est-ce que j'entends ? Vous êtes incapable de mettre de l'argent de côté car vous avez déjà la corde au cou. Vraiment ? Il y a une solution. Est-ce que travailler à votre compte une heure par jour vous dirait ? Je m'explique. Si, par exemple, votre taux horaire est de 15 $/h, prenez le salaire d'une heure par jour et investissez-le. Au bout de la semaine vous aurez 75 $ à investir et, ce, semaine après semaine. Après un an, vous aurez accumulé 3750 $ (75 $ x 50 semaines) avant intérêts. Pensez-y.

Le secret du pourcentage juste

Après avoir consulté quelques personnes ayant des situations financières et des budgets différents, j'en suis venue au résultat qui suit. Si on divise son revenu net par trois parts égales, on arrive à caser toutes les dépenses mensuelles sans créer de nouvelles dettes.

33 % iront à l'épargne ou en partie au remboursement des dettes (10 % pour se payer en premier + 23 % en placements et investissements ou en remboursement des dettes (paiement de carte de crédit, prêt personnel, etc.). Lire ci-haut pour connaître les détails du 10 %.

34 % iront aux frais fixes (loyer/hypothèque, taxes, électricité, télécommunications, etc.)

33 % iront à toutes les autres dépenses (frais de transport, argent de poche, sorties, passe-temps, etc.).

Établir une habitude d'épargne 25 ¢ à la fois.

Déposez systématiquement à toutes les semaines dans un compte d'épargne (où vous ne pourrez pas faire de retrait) ou déposez votre argent sonnant à tous les soirs dans un coffre à serrure. Remettez la clé à un proche qui ne devra vous la donner qu'à des intervalles mensuels ou selon votre entente pour l'investir dans un fond performant par exemple. On ramasse environ 3 $ par jour en monnaie sonnante. À cette fréquence, vous accumulerez près de 100 $ par mois sans que cela ne fasse trop mal. Aussi, prenez un arrangement avec votre institution bancaire pour qu'un montant préétabli soit automatiquement retiré à date fixe et transférez-le dans un fond mutuel ou autre moteur de placement.

Truc

Promettez-vous de générer un dépôt à toutes les semaines quel qu'en soit le montant. Et déposez vos augmentations de salaire dans un compte spécial.

Investissez-vous dans vos investissements.

Après tout c'est votre argent. Pourquoi un étranger (conseiller financier) ferait-il mieux que vous ? Il a des connaissances alors posez-lui toutes vos questions. Si vous le payiez pour vous informer, maintenant payez-le pour vous éduquer.

Truc

Lisez, comparez, questionnez les opinions des experts, et visitez les salons d'épargne et placements de votre région.

Vous cotisez à vos REER à chaque fin d'année ? Bien ! Mais avez-vous songé combien vous pourriez épargner en plus si vous cotisiez en début d'année pour l'année en cours ? Les intérêts s'accumuleraient pendant toute l'année à l'abri de l'impôt. C'est une bonne habitude à prendre. Communiquez avec votre banque pour obtenir les détails afin d'emprunter pour cotiser à vos REER. Ainsi, le jour de votre retraite pourrait bien se voir devancé.

Pas de chicane dans la cabane !

Il ne faut pas se le cacher, l'argent est un point majeur de dispute au sein du couple. Il y a souvent un dépensier et un économe. Le rôle classique de l'homme est de s'occuper des dettes à long terme comme l'hypothèque. Quant à la femme, elle s'occupe souvent de régler les factures et les dépenses courantes. Mais l'homme et la femme ont une relation différente face à l'argent, même s'ils copient souvent le modèle de gestion de leurs parents respectifs. La communication régulière et des rendez-vous financiers doivent être prévus pour bâtir les mêmes projets. « Mon argent, ton argent » doivent s'additionner, un jour ou l'autre, pour devenir « notre argent ».

Les trois points névralgiques des discussions devraient porter sur :

1. le coussin d'urgence

2. le remboursement des dettes

3. la retraite

Il est ensuite possible de passer à une autre étape, soit celle des objectifs de famille.

Sur quels objectifs êtes-vous d'accord ?

En commençant vos rendez-vous par les points d'entente, les différents s'aborderont avec plus de calme et d'écoute.

Envisagez votre gestion financière comme celle d'une compagnie ou apprenez à voir vos finances différemment. Et si l'on gérait ses finances personnelles comme l'on gère une compagnie ? Vous allez me dire : « Je n'ai aucune idée de comment gérer une compagnie ». Essayons, pour voir. Il y a les revenus (argent entrant) et les dépenses (frais de roulement). Si vous voulez prendre de l'expansion, vous devrez produire des profits (réaliser des épargnes) car les banques ne prêtent pas à des compagnies déficitaires, ils ne prennent pas ce risque. Travaillez avec ce que vous avez en mains.

Vous aimeriez vivre comme un(e) millionnaire? Les différentes publicités de loteries ont bien infiltré notre subconscient. Le goût d'être millionnaire est un fantasme puissant. Mais accrochez-vous bien car les résultats de recherche des auteurs du livre *The millionnaire next door* va en surprendre plus d'un. Thomas Stanley et William Danko ont sondé 1 115 millionnaires américains pour arriver à dégager sept dénominateurs communs. Ces millionnaires n'ont pas gagné à la loterie. Ils ont construit leur fortune eux-mêmes. En voici trois pour votre réflexion.

- Ils vivent tous en deçà de leurs moyens.
- Ils allouent temps, énergie et argent afin de construire efficacement leur fortune.
- Ils croient que l'indépendance financière est plus importante que l'étalage d'un haut statut social.

Relevé des dépenses (anciennement appelé le budget)

La vie coûte toujours plus cher dans la réalité que sur papier. Avez-vous une idée précise de l'argent que vous dépensez à chaque mois? Est-ce que vos habitudes financières vous mènent à la banqueroute? Photocopiez et utilisez le relevé des dépenses ainsi que le registre des comptes à payer du mois inclus à la fin de ce chapitre.

Réflexion: si vous ne savez pas où vous allez, il se peut que vous arriviez là où vous ne vous y attendiez pas! De plus, il est prouvé que les gens qui savent où va leur argent dépensent moins et épargnent plus. Vous pouvez éviter les dettes futures en faisant des ajustements et en instaurant une stratégie d'épargne.

- Avez-vous un coussin financier pour les anniversaires, les abonnements, les taxes municipales et scolaires, les dépenses des fêtes, les vacances, les passe-temps et les sports?
- Évaluez ce que vous dépensez annuellement puis divisez par douze. Vous aurez une meilleure idée de la façon de contrôler vos dépenses.
- Administrez la liste des items à gérer avec plus d'attention et de rigueur.

- Laissez votre argent plastique à la maison à moins d'avoir planifié un achat majeur.

- Comptabilisez toutes vos dépenses quotidiennes. Vous serez étonné des résultats. Le relevé des dépenses mensuelles vous sera d'une grande aide. Je procède à cet exercice tous les jours depuis 18 ans.

- Prévoyez un temps et un espace réservés au règlement des factures et du courrier. Évitez de régler vos factures dans la chambre à coucher. Cet endroit doit être réservé pour d'autres activités et au sommeil.

Payez-vous trop en frais bancaires, en assurances diverses, en appels interurbains et en services téléphoniques ? Ces services sont à revoir aux six mois selon les changements de votre situation financière et familiale, ou de votre utilisation.

Truc

Attardez-vous à vos relevés mensuels et factures. Cet exercice prendra de la discipline mais vous évitera de payer des sommes en trop.

Truc

Gardez un minimum variant entre 1000 $ et 1500 $ mensuellement dans votre compte bancaire afin d'épargner les frais mensuels du compte. Ce service est offert dans plusieurs banques et caisses.

Diminuez votre limite de crédit.

Connaissez-vous la limite de crédit de votre carte de crédit ? Avez-vous besoin mensuellement de tout ce crédit ? Est-ce une tentation additionnelle que d'avoir ce crédit disponible ? Il suffit d'un coup de fil au service à la clientèle de votre fournisseur de carte pour en demander la diminution. Demandez-leur quel est le minimum de crédit pour le type de carte que vous possédez. Cela vous donnera une motivation afin d'atteindre des objectifs pour éliminer vos dettes, si c'est le cas.

Truc

Si vous êtes en train d'acquérir une maison par exemple, il sera sage de diminuer votre limite de crédit de votre carte afin d'obtenir le maximum de prêt hypothécaire.

Libérez-vous de votre hypothèque le plus rapidement possible.

Considérez un horaire de remboursement accéléré pour votre hypothèque. Par exemple, au lieu de payer votre hypothèque une fois par mois, considérez de payer la moitié du paiement à toutes les deux semaines. À un taux de 7% sur 30 ans pour un prêt de 200 000$, vous pourriez diminuer vos années de remboursement de plus de six ans. Imaginez, six ans de moins à payer des intérêts et du capital. Si vous ajoutez 100$ par mois à vos deux paiements, vous écourterez vos paiements de 10 ans. Demandez à ceux qui vous financent que ce montant additionnel aille expressément à la diminution du capital emprunté.

Maison

Les fuites d'air en hiver, voyez-y! Que vous soyez locataire ou propriétaire, le calfeutrage des fenêtres vous fera épargner jusqu'à 10% des coûts de chauffage. Le test de la chandelle ou du briquet est un bon moyen pour trouver les fuites aux fenêtres, aux portes et aux prises de courants. Il existe des scellants qui s'enlèvent au printemps sans abîmer la peinture.

Truc

En hiver, ouvrez les rideaux les jours ensoleillés pour permettre à la chaleur d'entrer et refermez-les en fin d'après-midi pour garder cette chaleur à l'intérieur.

Votre chauffe-eau est-il frileux ? Enveloppez-le d'une couverture isolante en fibre de verre. Entourez aussi les canalisations d'eau chaude d'une gaine isolante ou d'un ruban isolant. Les économies dépendront de la taille du chauffe-eau mais elles peuvent atteindre 45 dollars annuellement (source : magazine *Protégez-vous*, le supplémentaire : « 101 trucs et conseils », octobre 2000).

Utilisez des ampoules fluorescentes compactes de haut rendement au lieu des ampoules incandescentes. Elles durent plus longtemps et utilisent 70 % moins d'énergie en projetant la même qualité d'éclairage (source : *This Old House Magazine*, Janvier-Février 2002).

À vos thermostats, prêts, tournez !
Baissez votre thermostat d'eau chaude de deux degrés et diminuez le thermostat de chauffage de deux degrés. Vous n'y verrez pas de différence dans votre confort ambiant mais apprécierez le surplus dans votre porte-monnaie.

Pour une lessive moins coûteuse et impeccable, lavez et rincez à l'eau froide ou encore, lavez à l'eau tiède et rincez à l'eau froide. Aujourd'hui, certains détergents sont spécialement formulés pour le lavage en eau froide. De plus, les systèmes d'agitation des lessiveuses modernes sont beaucoup plus performants que par le passé. L'eau tiède ne rend pas le linge plus propre mais à la longue, cela vous lessivera le portefeuille.

La sécheuse peut être la nouvelle alliée du cintre. Après quelques minutes de culbutage, suspendre pantalons, dessous, serviettes et chemises sur des cintres. Les draps prennent peu de temps à sécher, on peut donc les laisser terminer le cycle. Vos vêtements dureront et conserveront leur couleur d'origine plus longtemps. Les quelques minutes de culbutage assoupliront les vêtements et vous éviteront peut-être de sortir le fer à repasser. Dès le printemps, séchez-les dehors. L'air frais est un assouplissant inimitable et représente une économie d'électricité assurée.

Si vos électroménagers ont plus de dix ans, il est à parier qu'ils consomment une bonne partie de votre facture énergétique. Votre facture d'électricité vous le dira assez vite. L'ÉnerGuide que l'on retrouve sur tous les gros électroménagers neufs (incluant les fournaises, les pompes à eau chaude et les systèmes de climatisation) est un bon indicateur afin de connaître les frais de fonctionnement par année.

Même un réfrigérateur neuf ayant la cote d'efficacité la plus basse sur le marché sera tout de même plus efficace que les modèles vieux de plus de dix ans. (source : This Old House Magazine, Jan/Feb 2002)

Services

Écoles de coiffure, écoles d'esthétique, écoles de massothérapie, écoles d'acupuncture, écoles de mécanique automobile, écoles d'hygiénistes dentaires, écoles de design de la mode, département de psychologie des universités, offrent tous des services à des tarifs exceptionnellement bas à leur clientèle. Des étudiants finissant ou en stage offrent les services (sous surveillance d'un professionnel enseignant qui vérifie chaque consultation ou service).

Visitez votre bibliothèque et découvrez un monde !

Best-sellers, journaux, magazines, CD, CD-ROM, vidéocassettes, romans, même l'accès à Internet sont habituellement gratis, selon votre secteur.

Les câblés ! Avez-vous besoin de tous ces postes de télévision spécialisés ? Demandez un forfait qui vous ressemble et voyez votre facture fondre.

Laissez passer 24 heures avant de vous porter acquéreur d'un item de plus de 75 $. Le temps aidera à tempérer votre goût pour la chose. Si vous en avez toujours besoin, allez-y mais choisissez de payer comptant.

Payez les factures courantes par Internet, par paiement direct ou en enregistrant vos comptes à payer à votre compte de banque courant. Avec Internet, où que vous soyez sur la planète, les enveloppes, timbres, et l'attente au guichet seront inexistants.

Le paiement direct vous enlève le poids de la gestion de vos comptes à payer, mois après mois. En enregistrant vos comptes à payer à votre compte courant, vous pouvez couper de 40 % vos frais mensuels bancaires. Si ces solutions ne sont pas intéressantes pour vous, je vous suggère de payer vos factures courantes deux jours avant l'échéance. Le traitement de vos paiements prend jusqu'à 48 heures. Vous éviterez les frais de retard et vous pourrez planifier votre budget selon les dates d'échéance qui sont souvent les mêmes, mois après mois.

Attention au guichet automatique privé, les frais de services sont très élevés ! En plus des coûts demandés par votre institution financière, une surcharge de un à deux dollars est exigible pour l'utilisation du réseau. Dépenser 2,50 $ pour retirer de l'argent est un pensez-y bien. À une fréquence d'une fois par semaine pendant un an, vous enrichissez les propriétaires des réseaux privés de 130 $.

Les services étoiles

Utilisez-les ou annulez-les. Appelez votre fournisseur de service et demandez le meilleur forfait ou demandez les tarifs offerts aux nouveaux clients. Si le préposé n'est pas coopératif, vous pouvez toujours parler à un superviseur. Les choses devraient bouger en votre faveur. Ils sont là pour fidéliser la clientèle et répondre à vos besoins réels.

Prenez une assurance-vie pour une qualité de vie de vos proches.

Si vous avez une hypothèque, êtes marié ou avez un enfant, l'assurance-vie est une nécessité. Si vous mourez demain (je veux vous laisser une chance d'appeler un courtier) sans assurance-vie, votre conjoint devra continuer à payer l'hypothèque, élever le ou les enfants en plus de tous les frais de sépulture… Ne privez pas vos proches d'une tranquillité d'esprit alors qu'il en coûte approximativement entre 20 et 60 $ par mois pour faire la différence.

Réflexion : si des maladies dégénératives font partie de votre arbre généalogique, il est suggéré de prendre une assurance pour une tranquillité d'esprit accrue. Un mineur ne peut être le bénéficiaire d'une police d'assurance. Au terme de la loi, un enfant ne peut administrer de l'argent.

Assurance invalidité, pourquoi pas ?

Demandez à votre employeur si vous seriez couvert s'il vous arrivait un pépin. Il ne coûte rien de le demander. Pour les travailleurs autonomes, consultez votre courtier pour le contrat le plus avantageux pour votre situation.

Notariez un testament dès que vous avez des biens monnayables ou que vous êtes dans une relation amoureuse stable et harmonieuse. Signez un contrat de société lorsqu'une copropriété est en jeu. Vous ne voudriez pas que vos biens et votre argent aillent à des tierces personnes ou même au fisc. Pensez-y ! Un testament notarié de particulier coûte entre 175 $ et 250 $ plus les taxes. L'enregistrement au bureau des notaires est habituellement inclus à ce coût. Des papiers légaux clairs allègent la peine et le fardeau légal de vos proches. Attention : un testament olographe (entièrement rédigé à la main) doit être homologué par un notaire, un processus qui coûte environ 400 $.

Alimentation

Ne partez pas l'estomac vide, prenez un petit-déjeuner. Selon des études scientifiques, les personnes qui mangent un petit-déjeuner sont plus performantes mentalement. Vous serez plus apte à régler des situations problématiques et vous ferez preuve d'une plus grande concentration, d'une mémoire plus vive et d'un meilleur moral contribuant à une pensée rapide et claire.

Si feuilleter les circulaires pendant une heure vous répugne ainsi que de visiter trois supermarchés pour rassembler ce que vous avez sur votre liste, feuilletez les circulaires pendant 15 minutes avec minuterie à l'appui et allez au supermarché ou à la pharmacie qui répond le mieux à vos besoins de la semaine. Un quart d'heure peut aller loin.

Préparez une liste d'épicerie comme le font plus de 60 % des Québécois. Si possible, n'y allez surtout pas avec un estomac vide ou avec les enfants, c'est fatal. Ne vous laissez pas tenter au-delà de ce que vous avez noté. On estime qu'il faut environ 50 minutes pour compléter une commande principale. Il est répertorié que toutes les minutes additionnelles passées dans un supermarché coûtent entre 50 ¢ à 1 $ chacune. La liste d'emplettes disponible au chapitre 3 vous simplifiera cette activité et l'agrémentera.

Truc

Si le temps vous manque, il n'est pas nécessaire de visiter trois magasins pour obtenir les meilleurs prix. Comparer les prix entre les marques de commerce à l'intérieur d'un même supermarché s'avère tout aussi efficace. Les articles offrant les marges de profit les plus élevées pour le magasin sont disposés de la hauteur de la taille à la hauteur des yeux. Il est avantageux de se pencher pour découvrir des prix plus bas avec des produits ayant les mêmes caractéristiques. Retenez aussi que les légumes emballés ne sont pas plus frais que ceux laissés à l'air libre.

Achetez en vrac ou en gros. Ne payez plus pour l'emballage et achetez la quantité désirée. Les aliments non périssables tels que les grains (riz, farine, légumineuses, épices) sont facilement accessibles dans les grandes surfaces et dans les épiceries spécialisées. Pour le vin à embouteiller soi-même à la SAQ, une bouteille de 750 ml se détaille approximativement six ou sept dollars. Pourquoi pas ! De plus, la SAQ est à l'origine de la collecte sélective. La grande majorité des bouteilles de vin et de spiritueux mises sur le marché sont récupérées et recyclées.

Automobile

Une mise au points, s.v.p. Ne retardez pas les mises au point de votre véhicule. Suivez le rythme d'entretien suggéré par votre concessionnaire. Vous éviterez peut-être des factures de réparation salées.

Truc

Vérifiez la pression d'air de vos pneus. Des pneus bien gonflés diminuent la consommation d'essence. Un véhicule sur quatre roule avec au moins un pneu insuffisamment gonflé et peut augmenter votre consommation d'essence de 3 %, selon les experts en pneus. Au prix où est l'essence, ça vaut le coût.

L'usage d'une voiture peut coûter jusqu'à 9 067$ par année, selon la CAA. Il serait logique de partager ces frais avec d'autres automobilistes et de dépenser un peu moins de mille dollars par année pour une voiture. C'est possible avec les services de Communauto de Montréal, Auto-Com de Québec ou, encore, Autoshare-Car Sharing Network de Toronto. Pour plus d'informations et inscription, visitez les sites Web suivants : www.communauto.com ou www.autoshare.com.

Si votre véhicule a été fabriqué pour fonctionner avec de la gazoline régulière, utiliser de la gazoline « extra » ou « premium » ne le fera pas mieux rouler. Au contraire, vous ne créerez que des émanations coûteuses. Il est suggéré d'utiliser la gazoline recommandée dans le manuel du fabricant.

La CAA Québec recommande d'arrêter le moteur lorsqu'on doit attendre : le redémarrer exige moins de carburant que de le laisser tourner au ralenti durant une minute. De plus, en évitant les départs brusques, vous consommerez jusqu'à 20 % moins d'essence avec une accélération uniforme et en douceur. En enlevant le porte-bagages lorsqu'on ne l'utilise pas, on économise de 10 à 15 % de sa consommation d'essence.

Autres produits de consommation

Louer ou acheter ? Si vous n'avez besoin qu'occasionnellement d'un item ou d'un outil, louez-le ou partagez les coûts d'achat avec un ami ou un voisin. L'entraide sauve des frais et des déplacements inutiles.

Truc

Répertoriez tous les travaux à exécuter avec l'outil loué. Louez-le : pour une journée additionnelle, la deuxième journée est souvent à moitié prix. Vous en aurez plus pour votre argent.

L'eau embouteillée. Procurez-vous un système de filtration d'eau qui s'installe à même le robinet de cuisine ou, encore, un système portatif à filtre. Ne transportez plus de bouteilles d'eau.

Enregistrez une des émissions quotidiennes d'activités physiques diffusées à la télévision. Vous éviterez ainsi l'attente souvent inévitable au gym pour accéder à votre machine favorite ou l'achat coûteux de vidéocassettes d'exercices.

Pour les essentiels de la garde-robe

- Allez directement chez le manufacturier pour les tailleurs, complets, robes et chemises ; ils ont des salles de montre qui sont ouvertes sur rendez-vous.

- Échangez des vêtements avec quelqu'un qui porte le même style et la même grandeur que vous. Il y a une règle de base pour ce troc. Vous avez le droit de repartir avec autant de morceaux que vous avez apportés. Assurez-vous que les vêtements sont propres et sans accroc.

Une prescription avec ça ?

Lorsque votre médecin vous recommandera un médicament, demandez-lui s'il n'a pas un échantillon à vous donner. Les compagnies pharmaceutiques distribuent des échantillons aux médecins afin qu'ils en fassent la promotion. S'il n'en a pas à sa disposition, demandez-lui si un remède naturel serait tout aussi efficace.

J'ai une anecdote pour vous à ce sujet. Je me suis présentée à une petite clinique sans rendez-vous avec les symptômes suivants : mal de gorge et cordes vocales irritées. Trois minutes après m'être assise devant le médecin de garde, celui-ci me prescrit des antibiotiques, que je déteste. Je l'arrête dans son élan et lui demande si je ne peux pas prendre autre chose. « Oui, me lance-t-il, gargarisez-vous avec de l'eau salée et ne mangez pas de produits laitiers pour une semaine. » En me levant, je lui réponds : « Merci. » Il m'arrête à son tour et me demande de lui présenter ma carte soleil. Les bons comptes font les bons amis !

Autres considérations

Aimez-vous votre travail ? Y aurait-il une possibilité d'améliorer ou de parfaire vos connaissances dans votre domaine afin d'obtenir un boni, une augmentation de salaire ou une promotion ?

Est-ce que vous avez un talent unique ou un passe-temps qui pourrait servir à un revenu d'appoint ? Êtes-vous reconnu dans votre cercle d'amis pour effectuer une chose particulièrement bien ? Pourriez-vous entrevoir la possibilité de la promouvoir ? Oui ? Sondez votre entourage. Qui apprécierait votre produit ou votre service ? Où se le procureraient-ils s'il était sur le marché ? Combien paieraient-ils pour l'obtenir ? Un excellent livre pour vous aider à trouver un emploi d'appoint est *Survival Jobs* de Deborah Jacobson. Vous trouverez la référence complète à la section « lectures recommandées ». Le goût de générer un revenu supplémentaire dépend de vos aptitudes, de votre volonté, de votre temps, de votre énergie et des bénéfices anticipés. En d'autres mots, soyez ouvert à différentes sources de revenus et faites-les fructifier. Vendez et vantez vos talents. Ce que vous avez d'unique est votre premier atout.

Jouons au jeu des révélations.

Arrêtez-vous dans chaque pièce de votre demeure. Remplacez chaque item que vous voyez par l'argent qu'il vous a coûté. N'oubliez aucun item.

Est-ce que chacun a une valeur dans votre vie actuelle? Si oui, félicitations. Vous êtes entouré quotidiennement de choses utiles et significatives pour vous. Si non, ces items n'ont aucune raison de prendre place dans votre décor. Commencez à vous en débarrasser (donner, vendre, jeter, réparer) et voyez votre vie changer progressivement.

Comment économiser jusqu'à 500$ par mois

Pratiquer 4 jours gratuits (4 jrs x 7$) .... 28$

Apporter son lunch au travail (15 jrs x 5$) .... 75$

Louer 4 films (5,25$ chacun) au lieu de 4 visionnements en salle (10$ chacun) .... 19$

Couper une sortie dispendieuse ou l'achat d'un vêtement...... 85$

Rouler ses sous accumulés et retirer ceux qui sont dans ses poches .... 5$
(Je parie que vous trouverez plus de cinq dollars.)

Préparer son café à la maison au lieu de l'acheter au café du coin .... 50$
Le café du matin préparé à la maison vous fera épargner près de 600$ en un an. (20 jours x 11,5 mois x 2,50$ par café = 575$).
Nettoyer vous-même 16 vêtements avec le produit Dryel au lieu du nettoyeur .... 65$

Prendre un dessert en moins au restaurant par semaine (4$ x 4 semaines).. 16$

Produire sa propre pédicure et manucure, mesdames.
Une ronde de golf en moins, messieurs.. 50$

Éliminer un déplacement en taxi..11$

Acheter 4 bouteilles de vin à la SAQ en vrac au lieu de la SAQ classique .... 20$

Comment économiser jusqu'à 500 $ par mois

On vous offre un lunch ou un souper. (Ça prend du charme mais j'ai confiance en vous !) .... 30 $

Couper les friandises et les billets de loterie .... 46 $

Total : 500 $

Truc

Choisissez une de ces actions ou une de votre cru et appliquez-la systématiquement à tous les mois. Voyez les bénéfices !

Souvenez-vous qu'un bien acquis de façon impulsive est souvent synonyme d'une dette future.

Question fréquente

Je n'arrive pas à rembourser le capital sur ma carte de crédit. Quelles stratégies me suggérez-vous ?

1. Effectuez le ménage dans votre tête puis dans votre vie

De deux choses l'une, soit que vos revenus soient insuffisants pour le train de vie que vous menez ou que vous deviez ajuster votre train de vie aux revenus que vous gagnez, il n'y a pas de solution magique ou miraculeuse. Si vos amis ont un revenu supérieur au vôtre, vous devez les aviser que festoyer toutes les fins de semaines ne vous apporte que des soucis le lundi matin venu.

2. Coupez la quantité de gâterie

Vous devez définir ce qu'est la richesse pour vous. Il est possible qu'une pauvre estime de vous-même vous pousse à acquérir des achats inutiles et regrettables. Les plaisirs de la vie ne coûtent rien.

3. Diminuez les achats impulsifs

Réfléchissez au sujet de vos besoins essentiels et de vos désirs passagers. Ces derniers vous mettent probablement dans le pétrin plus souvent qu'autrement. Méditez sur la phrase suivante : je n'aurai jamais assez de ce que je n'ai pas besoin. Évaluez si l'achat est une nécessité, un désir passager ou un vide à combler.

4. Révisez votre budget ou instaurez-en un au plus vite

Combien d'heures devrez-vous travailler pour payer ce nouveau bidule ? Est-ce qu'il en vaut vraiment la peine ? Réalisez l'exercice suivant : écrivez toutes vos dépenses durant trois mois en utilisant le relevé des dépenses mensuelles inséré dans ce chapitre. Ensuite, estimez si vous pourriez couper des dépenses dans les catégories qui ne sont pas des frais fixes telles que : restaurants, sorties, vêtements et accessoires, taxis, jeux de hasard ou passe-temps dispendieux.

Question fréquente

5. Considérez une chirurgie plastique

Si l'argent vous brûle les doigts, vous avez peut-être besoin d'une chirurgie plastique. C'est-à-dire, le devoir de couper vos cartes de crédit. Expérimentez avec les journées gratuites expliquées au début du chapitre. Épargnez avant d'acheter.

La prospérité vient après la mise en place d'un plan. Ceux qui savent s'arrêter d'acheter ont tout ce qu'ils ont besoin car ils ont défini ce que c'est que d'être riche.

Relevé des dépenses mensuelles pour le mois de:__________

Dates	Logement	Épicerie	Transport	Télécomm.	Électricité	Assurance
1						
2						
3						
4						
5						
6						
7						
8						
9						
10						
11						
12						
13						
14						
15						
16						
17						
18						
19						
20						
21						
22						
23						
24						
25						
26						
27						
28						
29						
30						
31						
Total						
Notes						
Jours gratuits						

Relevé des dépenses mensuelles (suite)

Taxes	Resto/ Loisirs	Soins santé	C. Crédit	Autres	$ de poche	Total

Registre : comptes à payer pour le mois de : ____________________

Compagnie	Montant	2 jours avant date d'échéance	Date du paiement	Note additionnelle
ex : Électricité	329,34 $	le 20 février	le 19 février	à payer avec paie du 17 février

Mode d'emploi : brochez ce registre à l'avant du dossier « comptes à payer » du mois que vous allez créer.
Pour ne plus chercher les comptes à payer, mettez-les dans ce dossier dès leur réception
Notez les dates d'échéance à votre agenda ou votre calendrier pour éviter les retards de paiements.

Carnet des achats par saison

Les dirigeants des magasins savent bien profiter des loisirs et des besoins saisonniers de leur clientèle. Vous pouvez compter sur eux, lors des jours fériés, pour jouir de ventes durant les longs week-ends suivants: Pâques, la journée nationale des patriotes ou la fête de la reine, la fête nationale, le jour de la confédération, l'Action de grâce ainsi que la période des Fêtes. D'autres soldes s'ajoutent à ces longues fins de semaine classiques: la Saint-Valentin et la rentrée scolaire automnale. Surveiller aussi les soldes d'ouverture de grandes surfaces qui ressemblent souvent à des ventes de feu. On croirait qu'ils veulent tout vendre la première journée d'ouverture.

Les **salons grand public:** Salon de l'auto, Salon de l'habitation, Salon chasse et pêche, Salon du chalet et maisons de campagne, Salon de la bicyclette et autres sont d'excellentes occasions pour dénicher des perles ou des nouveaux modèles à des prix spéciaux que vous ne retrouverez pas en magasins.

L'industrie automobile vous sollicite toute l'année. On n'a qu'à regarder ponctuellement la télévision pour remarquer la pléthore de publicité. Attention aux soldeurs perpétuels qui offrent, soi-disant, des prix imbattables tout au cours de l'année. Il est recommandé de comparer les prix avant d'arrêter votre choix.

Les **magasins d'électroménagers** se livrent une bataille de tous les instants pour vous entraîner vers leur magasin respectif. Quel que soit le temps de l'année, vous dénicherez des rabais sur un grand nombre de modèles et de marques. La saison des déménagements aidant, il y aura moins de ventes spectaculaires de mai à juillet car les acheteurs ont des besoins pressants et n'ont pas besoin d'appât pour pousser la porte de leurs magasins. C'est à la période tranquille de février que vous remarquerez que tout le stock de plancher est en vente.

Notez que les **supermarchés d'alimentation** sont exclus de ce carnet puisque le cycle des soldes d'un même article revient environ à toutes les 5 ou 6 semaines. Certains produits sont maintenant en solde prolongé. Il est de votre intérêt de vérifier les affichettes sur le rebord des tablettes pour connaître la durée du rabais.

Printemps (20 mars – 20 juin)

Immobilier: Les mois de février à avril représentent le meilleur moment pour mettre votre maison en vente.

REER: le 1er mars est la date limite pour acquérir des régimes enregistrés d'épargne-retraite pour l'année précédente.

Voyage: les transporteurs offrent des ventes de sièges pour différentes destinations soleil ainsi que pour les États-Unis.

Équipement de jardinage: avec la venue du beau temps, les centres de rénovation regorgent de nouveautés en mobiliers de jardin, équipements de barbecue, outils de jardinage, tondeuses à gazon, etc.

Équipement sportif: la belle saison approche, c'est le meilleur temps pour acheter: bicyclette, bicyclette stationnaire, exerciseur de style varié, patins à roues alignées, souliers de marche et équipement de golf. Les bateaux récréatifs sont très en demande.

Vêtements: en prévision de Pâques, les robes et souliers pour filles et dames sont en vente.

Pharmacie: toutes les lotions solaires sont en vente toute la saison. Les médicaments anti-allergènes sont en solde.

Été (21 juin – 22 septembre)

Articles de maison: en prévision des déménagements de juin et juillet, les détaillants de peinture et de décoration de maison offrent des rabais intéressants.

Mi-juillet à la fin août

Pharmacie: solde d'articles scolaires pour la rentrée. Les parfums sont aussi souvent en solde.

Août

Électronique : les magasins d'ordinateurs et d'accessoires électroniques sont en vente pour la rentrée scolaire.

Vêtements : les grandes surfaces offrent de bons rabais sur les vêtements pour enfants et adolescents en prévision de la rentrée scolaire.

Papeterie : les magasins de fournitures de bureau offrent des rabais sur une bonne partie de leur matériel. C'est le temps de faire des provisions de papier, cartables, stylos de tous genres, ordinateurs, imprimante et logiciels.

Automobile : les modèles de l'année sont en liquidation dès juillet.

Automne (23 septembre – 21 décembre)

Antiquités : la saison des antiquités et des encans est ouverte. Les églises, les associations familiales font leur bazar annuel.

Pharmacie : la vente de pastilles et médicaments contre le rhume et la toux ainsi que les produits anti-allergènes fait fureur.

Hiver (22 décembre – 19 mars)

Salon grand public : la majorité des salons se tiennent en hiver.

Automobile : les concours « Gagner votre auto » sont un nouveau phénomène que l'on observe depuis les dernières années durant le temps des Fêtes. Certaines restrictions s'appliquent. Lisez bien les petits caractères de votre contrat d'achat.

Vente d'après les Fêtes : de bonnes opportunités se présentent dès le 15 décembre jusqu'à la fin du mois. Des rabais allant jusqu'à 50 % sont annoncés et, ce, dans les catégories suivantes : vêtements et accessoires, jouets et électronique.

Pharmacie : les ventes de produits diététiques ainsi que les produits anti-tabac sont très en demande suivant la tradition des résolutions classiques annuelles. Dès le début février, attendez-vous à voir les soldes de la Saint-Valentin (parfums, chocolats, cadeaux) réapparaître.

Récapitulation

Si vous suivez les suggestions stipulées dans ce chapitre, vous pourrez épargner plus de cinq mille dollars. Un montant non négligeable pour réaliser vos projets.

Je réalise que le gros lot que l'on convoite tant est déjà en nous. Si on gage sur soi, on ne peut que s'enrichir car si on attend de gagner à la loterie pour se lancer, on risque fort de passer à côté de son plein potentiel, d'une richesse encore inexplorée qui est endormie en nous. On laisserait le hasard de la loterie nous rendre virtuellement heureux ? Croyons en cette formidable fortune interne qui détient les secrets de notre avenir et fonçons. Travaillons à nourrir nos talents, même si ce n'est qu'une heure par jour. De cette façon, chacun accroîtra sa valeur pour rayonner pour le bien de tous.

(Relire le dernier paragraphe au besoin car il détient une puissance qui va au-delà des mots.)

Souvenez-vous que l'argent est une énergie. Vous avez aujourd'hui plus d'outils pour en profiter. L'argent que vous possédez doit travailler pour vous après tous ces efforts engagés pour le gagner sinon il ira garnir d'autres portefeuilles.

Prenez une pause le temps que je vous raconte

En jasant avec mes voisins, j'ai découvert qu'ils projetaient d'entreprendre des travaux de terrassement similaires aux miens. Nous avons pu avoir un meilleur prix sans trop d'efforts. Une pause de quelques minutes chez mes voisins m'a permis de gagner temps et argent, en plus de développer notre amitié.

Statistiques

Plus on conduit vite sur les autoroutes, plus la voiture consomme de l'essence. Selon Transport Canada, passer de 90 km/h à 120km/h sur l'autoroute accroît de 20% en moyenne la consommation d'essence d'un véhicule. La fonction « contrôle de vitesse » peut vous faire économiser de l'essence puisque vous roulez alors à une vitesse stable.

D'après Statistiques Canada, en 2000, les ménages québécois ont dépensé environ 450$ dans au moins un jeu de hasard (loterie, tombola, casino, bingo).

Le chauffe-eau électrique est moins coûteux à l'utilisation que celui au mazout ou au gaz naturel si la résidence est chauffée avec la même source d'énergie que celle du chauffe-eau (source: Agence de l'efficacité énergétique 2000).

Selon un sondage effectué par homegain.com, vous pouvez réaliser 594% de retour sur votre investissement si vous vous engagez dans le ménage de votre bric-à-brac avant de mettre votre demeure sur le marché de la revente.

Cinq millions de personnes meurent à chaque année des conséquences de la consommation de tabac. Si vous fumez un paquet par jour, il vous en coûte plus de 3000$/an (source: 1-888-yes-quit).

Sites Web

www.hydroquebec.com
Pour explorer les facteurs qui influencent votre consommation d'électricité.

www.equifax.com/EFX_Canada/
Pour connaître l'état de votre crédit. Des frais sont exigés.

www.eere.energy.gov
Site du US Department of Energy et de Energy Efficiency and Renewable Energy Network (EREN), exclusivement en anglais. Trucs pour économiser énergie et argent pour maintenir votre demeure.

www.consumerworld.org
Site offrant des informations pertinentes pour les consommateurs.

www.oee.nrcan.gc.ca/transports/initiative-vehicules-personnels.cfm
Site de l'Office de l'efficacité énergétique de Ressources Canada. Pour connaître la consommation d'essence de tous les véhicules sur le marché canadien et la liste de ceux qui sont éconergétiques.

www.moneysense.ca
Site canadien traitant de placements, planification financière, taux et autres outils tels que forums, conseils, rendements boursiers, etc.

www.obligationsdepargneducanada.ca
Placement sécuritaire au risque peu élevé, encaissable sans pénalité en tout temps. Plus de 5 millions de Canadiens détiennent des Obligations du Canada. Un minimum de placement de 100$ est exigé. Appel sans frais : 1-888 773-9999.

www.rrq.gouv.qc.ca
Site de la Régie des Rentes du Québec qui proposc une méthode de planification de la retraite en cinq étapes ainsi qu'une feuille de calcul d'un budget de dépenses annuel aujourd'hui et à la retraite (feuille de calcul : 95.3ko).

www.adbusters.org
Site qui ouvre la conscience sur la consommation et ses mécanismes sournois.

www.opc.gouv.qc.ca
Office de la protection du consommateur. Programmes et services, publications et informations. Appel sans frais : 1-888-672-2556.

www.protegez-vous.qc.ca
Site du magazine *Protégez-vous !* Archives, abonnements, chroniques, cahiers spéciaux et bien d'autres informations.

www.futailles.com
Pour connaître les vins et spiritueux ainsi que les produits en vrac disponibles à la Maison des Futailles.

www.save.ca
Ce site offre aux consommateurs canadiens la chance d'épargner jusqu'à vingt dollars sur l'achat de nourriture hebdomadaire en leur offrant des coupons rabais de produits de leur choix.

www.endettement.com
Ce site offre un modèle de budget ainsi qu'une foule de conseils.

www.mmmeatshops.com
Le site des Aliments M & M, qui prépare des mets prêts à servir.

www.uniroyal.ca
Le site publie, entre autres, plusieurs précautions à prendre avant de s'asseoir derrière le volant dans la section InfoCentre/Conseils.

Je ne peux pas passer sous silence la venue d'une nouvelle revue: *Budget Living Magazine*. Trucs et idées pour boucler son budget.

Vos notes

Chapitre 8
Comment s'organiser pour profiter de son temps ?

Hum ! Bonne question. N'oubliez pas, votre temps, c'est votre vie. Lorsque les priorités sont accomplies, vient le moment de profiter de ce temps libre si chèrement payé. C'est le temps pour les petits et grands plaisirs, sans oublier les gâteries en sortant de son quotidien, en sortant de la maison, en prenant la clé des champs, en prenant avantage de tout ce qui s'offre à vous, en créant des occasions joyeuses, en retirant le maximum du service à la clientèle que l'on vous offre, en développant de nouveaux passe-temps. Toutefois, s'il vous semble difficile de profiter de la vie ou de décrocher du travail, vous êtes peut-être en épuisement physique ou mental, vous vivez peut-être un deuil, combattez une maladie ou un déséquilibre hormonal. Dans ce cas, vous pouvez consulter un spécialiste pour vous aider à retrouver votre joie de vivre.

Des suggestions pour mieux profiter de tout

Les suggestions suivantes peuvent vous aider à vous mettre sur la piste. C'est votre vie. Il est important, peut-être même urgent, de vous arrêter afin de faire le point. Mon grand-père m'a transmis ce petit bijou de vérité. Le bonheur n'est pas quelque chose que l'on vise mais que l'on vit.

Aujourd'hui est un jour de première, le saviez-vous ?

Au théâtre, le jour de la première représentation est caractérisé par le trac. Préférablement, celui qui propulse vers l'ouverture aux autres et aux situations, vers le don de soi, vers le dépassement de soi en vivant le moment présent dans la peau d'un autre. Que ferez-vous aujourd'hui pour la première fois ? Quel événement vous donnera le trac ?

____

____

____

« Si on y pense, le moment présent est le seul temps qui existe vraiment. Quelle que soit l'heure, c'est toujours maintenant. Toutefois, nous vivons ailleurs avec des images du passé et des inquiétudes du futur. Nous nous subtilisons à nous-même la pleine expérience du présent. Malgré que le passé soit terminé et que le futur ne soit jamais totalement ici, notre esprit est habituellement occupé avec l'un ou l'autre. Le présent sert très peu, sauf lorsqu'il crée le pont entre les deux mondes. » (traduction libre de « The Time That Matters » de Marianne Williamson, article paru dans *O The Oprah Magazine*, juillet-août 2000.) Être présent à 100 % dans les petits gestes comme les grands nous donne le sentiment d'accomplir plus de choses dans notre journée. Au lieu d'attendre l'occasion parfaite, réalisons que chaque opportunité est sans défaut telle qu'elle se présente. Chaque moment est remarquable et peut nous propulser vers quelque chose de meilleur si on s'en donne la peine. Efforcez-vous de ne jamais avoir une journée ordinaire. Quelles actions avez-vous posées aujourd'hui pour la réalisation de vos projets personnels ? Qu'avez-vous apporté de neuf à votre vie aujourd'hui ? Avez-vous obtenu une information de plus à un questionnement ou pour un projet ? Avez-vous été un bon ami aujourd'hui ? Avez-vous rencontré une personne qui pourrait transformer votre vie ?

____

____

____

____

Quelle est la dernière fois que vous avez eu une réelle communication avec quelqu'un ? Quels éléments étaient présents ? Comment avez-vous agi ? Recherchez ces éléments dans vos rencontres.

____

____

____

____

Qu'est-ce qui vous excite dans la vie ? En réfléchissant aux passe-temps et/ou aux cours qui vous ont déjà allumé, des vieilles flammes pourraient jaillir de ces braises. Voyez de nouvelles opportunités émerger. Projetez de réaliser une de ces activités aujourd'hui ou cette semaine.

Quels sont vos rêves ? Ne vous limitez surtout pas. Vous avez trois minutes pour les écrire, tous sujets confondus. Top chrono. Écrivez.

Alors, comment vous sentez-vous ? Essoufflé, étonné, rassuré ? Reconnaître que vous avez ces rêves vous aidera à voir les opportunités lorsqu'elles se présenteront. Vous serez éveillé à la possibilité de les réaliser. Laissez ses rêves dans la boule à mites les empêcheront de se réaliser. Donc, agissez ! Mais attention à votre enthousiasme. Ne donnez pas votre démission demain matin. Faites d'abord les premiers pas. Prenez ce fameux cours, rencontrez une personne qui pratique le métier que vous rêvez d'exercer, regardez ce film en italien sans sous-titres, finissez ce baccalauréat, etc. Allez jusqu'au bout de votre démarche puis passez au prochain rêve. Les gens qui ont du succès ont appris à poursuivre leur chemin malgré les embûches qui se manifestent sur leur parcours. J'en suis la preuve vivante.

Il importe maintenant d'écrire votre mission de vie et de la vivre à tous les jours. Chaque corporation, chaque regroupement ou association a sa mission. Voici un exemple célèbre : l'UNICEF. Sa mission est de protéger les droits des enfants, d'aider à rencontrer leurs besoins essentiels et à augmenter les opportunités afin qu'ils puissent atteindre leur plein potentiel.

La mission de vie est une affirmation qui tient ordinairement en une vingtaine de mots pour décrire la vision d'excellence à laquelle vous aspirez. Celle-ci devrait inclure deux parties : ce que vous souhaitez accomplir et ce que vous voulez être, c'est-à-dire les forces de caractères et les qualités que vous voulez développer sans nécessairement savoir comment vous allez y arriver.

Exemple d'une mission de vie : développer des liens d'amour avec ma famille, augmenter mes connaissances, travailler dans un domaine que j'aime et profiter de ses dividendes en étant honnête et généreux.

À vous maintenant.

____

____

____

____

Avez-vous déjà réfléchi à votre journée idéale ?

Celle-ci devrait inclure le plus de facettes possibles de votre mission de vie. Qu'est-ce qu'une journée réussie ?

____

____

____

____

Créez votre tableau d'honneur. Celui-ci peut contenir des photos, des pensées, des images, des buts à atteindre. Installez ce tableau de façon à le voir à tous les jours.

Entourez-vous de gens qui sont des modèles pour vous motiver à aller plus loin. Ces modèles peuvent être sous forme de photos (rappel visuel), de biographies de personnalités (rappel textuel) ou de bandes audio (rappel auditif). Regardez-les, lisez-les et écoutez-les souvent.

> À quand remonte la dernière fois où vous avez lâché votre fou ou avez eu un plaisir fou ? Si votre souvenir est vague, il est temps de remédier à la situation.

Dites au moins deux compliments par jour, un pour vous et un pour un inconnu. Vous découvrirez peut-être que l'inconnu, c'est vous.

Dès que l'on vous adresse un compliment, de grâce, approuvez-le tout simplement et formulez-vous en un en retour.

Vous n'avez pas le temps de réfléchir ? Allez au lit plus tôt et réveillez-vous trente minutes avant votre heure habituelle. Utilisez ce temps serein pour réfléchir en solitaire.

Tous les matins, commandez le déroulement de votre journée comme vous le feriez pour un repas au restaurant. « Aujourd'hui, je veux... » Soyez précis. Sautez sur les opportunités qui vont se présenter et recherchez-les.

Prenez 15 minutes à tous les jours pour vous ressourcer, seul, en silence, sans nourriture, sans livre, ni télé. Respirez profondément. Voici une technique que vous pouvez expérimenter : fermez les yeux. Inspirez par le nez et gonflez le ventre et la poitrine au maximum. Tenez quatre temps. Rentrez le ventre puis expirez lentement par la bouche, comme si vous souffliez dans une paille en offrant le plus de résistance possible tout en gardant le ventre rentré jusqu'à la fin du souffle. Répétez cet exercice jusqu'à cinq minutes, trois fois par jour, debout ou assis. C'est un moment précieux pour reprendre le contact avec sa vie. Ce moment perdu vous sera bénéfique et une plus grande disponibilité mentale s'installera.

Ne portez pas de noir pour une semaine. Vous remarquerez une différence dans votre état d'esprit ou même votre niveau d'énergie. Le noir n'est pas seulement amincissant, il marque… Les couleurs ont une influence sur notre état d'esprit. Il suffit d'aller dans un hôpital pour s'en rendre compte. Le bleu a un effet calmant, les rouges stimulent. En plus, portez quelque chose pour votre plaisir personnel, comme un dessous sexy, des souliers porte-bonheur, etc.

Costumez-vous à l'occasion de la fête de l'Halloween. Pourquoi ne pas en profiter. Les gens s'attendent à ce que l'on sorte notre côté amusant, fou ou extravagant. En passant, l'Halloween est encore fêté le 31 octobre. Si un costume n'est pas approprié, essayez une perruque (à la Amélie Poulain, de clown, etc.), un chapeau (à la Al Capone, d'un capitaine de bateau, etc.), ou des lunettes… Les réactions sont assurées.

Émettez votre opinion. Établissez vos limites et faites-les respecter. Ne vous laissez pas envahir par les tracas des autres. Arrêtez de tolérer…

Créez un cahier de compliments : celui-ci peut être joint à votre cahier de bord au travail ou à votre journal intime. Je place le mien à la toute fin de mon cahier de bord. Je commence par la dernière page et j'écris les compliments en remontant les pages. J'y inscris la date et le nom de la personne qui m'a complimentée. Lorsque j'ai besoin de soutien, je prends la pause compliments. Ça me redonne de l'entrain, même après plusieurs lectures.

Écrivez vingt qualités dont vous avez héritées de vos proches. Ce peut être vos parents et votre famille immédiate. Ajoutez cette liste à votre cahier de compliments. Posologie : relisez au besoin.

Jeu : j'ai six mois à vivre. Que va-t-il se passer ? Qu'est-ce que je ne changerais pas ? Qu'est-ce que je ferais différemment ? Écrivez la date dans votre agenda et essayez de nouveau le jeu dans six mois. Qu'y a-t-il de différent depuis six mois ? Est-ce que vous désirez toujours ce que vous possédez ?

Qu'est-ce qui vous rend la vie plus facile ?

Énumérez au moins 15 choses acquises.

____________	____________	____________
____________	____________	____________
____________	____________	____________
____________	____________	____________
____________	____________	____________

Écrivez maintenant 15 vœux atteignables pour une vie plus facile.

____________	____________	____________
____________	____________	____________
____________	____________	____________
____________	____________	____________
____________	____________	____________

Voici des suggestions qui peuvent figurer à votre liste d'acquis ou de vœux possibles.

Semelles tout confort

Lunettes de lecture

Téléphone sans fil

Un conjoint qui cuisine

Crème tout-en-un

Un frigo silencieux

Plus d'espace de rangement

Un matelas douillet

Le double des clés de maison

Femme de ménage

Ordinateur portable

Notes autocollantes

Lave-vaisselle fonctionnel

Des vraies vacances

Un classeur de courrier

Pratiquez les baisers longs et langoureux. Embrasser améliore la circulation et active le système immunitaire. Les baisers gardent la mâchoire et les muscles des joues tonifiés. Ce n'est pas tout : un baiser passionné brûle 6,4 calories/minute comparativement à 11,2 calories/minute pour marcher sur le tapis roulant (source : SuperImmunity, du Dr Paul Pearsall, Fawcett Books).

Consacrez plus de temps et d'énergie aux personnes qu'aux objets. Nourrir des liens intimes est une des choses les plus plaisantes qui soient. Dites « je t'aime ». L'amour n'est pas un sentiment mais un comportement. Rapprochez-vous de votre famille et de vos proches. Parlez des vraies choses, de vos sentiments face à eux. Initiez les premiers pas car ils ont peut-être une écharde au cœur ou une embûche qui les en empêche.

Vos sens n'attendent que vous pour vous émerveiller. Prenons l'exemple de l'écoute. Pour écouter vraiment, on doit éteindre non seulement la radio, la télé, l'ordinateur mais aussi le discours intérieur et la liste mentale. C'est seulement à ce moment-là que nous pourrons laisser la porte entrebâillée afin que des idées nouvelles descendent en nous. Elles se manifestent sans clairon ni clochette et arrivent en un instant. Je dirais même en une fraction de seconde. Si vous ne réagissez pas, elles iront loger chez d'autres esprits. Comme Rûmî, maître spirituel du XIIe siècle, a écrit : la brise du matin a des secrets à vous révéler, ne retournez pas vous coucher. Pour certains, ces idées viennent au moment du coucher et pour d'autres, elles les réveillent en pleine nuit. Lorsque je les saisis au vol, je m'en félicite toujours car elles représentent ce qu'il me fallait pour continuer un projet ou pour en améliorer les résultats.

On a tous un sujet sur lequel on devrait écrire !

C'est comme un grain de sable qui ne sort jamais de votre soulier, une idée qui vous poursuit. Écrivez avec honnêteté. Personne ne vous jugera. Ces émotions sont les vôtres et ont le droit d'être mises au grand jour.

____

____

____

Pardonnez. Des études ont démontré que le pardon réduit l'anxiété, apaise la dépression et améliore l'estime de soi. Selon le chercheur californien Carle Thoresen, « ... *pardonner, c'est retrouver une plus grande paix intérieure, changer sa perception de l'injustice subie et de ceux qui en sont responsables. C'est arrêter de ruminer le passé et le remettre en perspective pour ne plus en être victime.* »

Donnez aux résolutions du Nouvel An une nouvelle chance. Mais à partir du 15 janvier seulement, alors que la vie est revenue à la normale. Si vous êtes quelque peu impatient de voir des résultats rapidement, je vous conseille de prendre des petites résolutions: prenez un rendez-vous qui vous effraie et respectez-le, consacrez une soirée par semaine pour vous dorloter, puis, évaluez les bénéfices de ces actions après environ un mois. Mangez plus lentement afin de savourer les aliments davantage et mangez moins. Évaluez les bénéfices après une semaine et poursuivez si vous n'y voyez pas d'inconvénients, etc. Les résultats/bénéfices vous donneront l'élan pour continuer vers des défis plus importants. Comme l'écrit Peter Urs Bender dans *Gutfeeling*, si vous voulez obtenir des résultats, faites en sorte que chaque jour soit un premier janvier.

Choses à essayer... pour créer des incitatifs au plaisir:

Au réveil, demandez une bonne nouvelle pour la journée. Je procède ainsi à tous les matins depuis le Nouvel an et la vie n'a pas manqué de me combler.

Riez de bon cœur à tous les jours. Ayez une provision de bandes dessinées, de livres et magazines d'histoires drôles, de films comiques, etc.

Embellissez la journée de quelqu'un en lui faisant un compliment ou en lui rendant un service, etc.

Si vous aimez les animaux, passez une heure dans une animalerie. Jasez avec un animal de compagnie. Si vous n'en avez pas, celui du voisin fera aussi bien l'affaire.

Mémorisez une bonne histoire et racontez-la. Un truc de magie est aussi efficace.

Jouez un jeu de société. Ce n'est pas dépassé, c'est plutôt populaire.

Gâtez-vous avec un nouvel accessoire mode (ex : lunettes de soleil, bague, montre, ceinture, etc.).

Bercez un nouveau-né. Dans les hôpitaux, on appelle ces bénévoles les anges berceurs.

Offrez un sourire. Vous trouverez rapidement une raison de sourire. Donnez sans vous attendre à recevoir. Soyez généreux. Le plaisir de donner est grand et bon pour le cœur.

Sortez en ville ou allez vous promener en campagne.

Testez sur la route le véhicule de vos rêves.

Perfectionnez votre technique pour créer des margaritas ou autres boissons exotiques.

Prévoyez de sept à huit heures de sommeil par nuit. Pourquoi ? Comment peut-on s'attendre à avoir du plaisir lorsqu'on est épuisé ? Donnez-vous cette permission. Arrêtez de dire que vous êtes en pleine forme alors que vous ne l'êtes pas. Le *farniente*, ça vous dirait ? De plus, vingt pour cent des accidents de la circulation sont causés par des chauffeurs qui n'ont pas profité d'un minimum de sept heures de sommeil réparateur la veille (source : CBC, émission *On Assignment*, diffusée le 7 mai 2006).

Visitez une résidence pour personnes âgées. Certains n'ont aucun visiteur et sont pleins de sagesse, de vitalité et ont beaucoup d'histoires à raconter. Une partie de cartes, ça vous dirait ?

Changez de parfum ou d'eau de Cologne.

Lisez une section complète du journal. J'ai bien dit complète. Vous apprendrez des choses… pour le plaisir.

Marchez pieds nus dans un parc ou sur la plage.

Balancez-vous sur une balançoire (celles des parcs municipaux sont assez robustes). C'est bon pour le moral.

Regardez votre émission de télé préférée ou louez un classique de Humphrey Bogart.

Ne lisez rien pour quelques jours. C'est difficile mais ça vous reposera l'esprit comme des vacances en Toscane.

Prenez un bain entouré de chandelles blanches pour l'effet purifiant et ses bienfaits.

Jouissez d'un massage de mains et de pieds. Si vous n'avez jamais essayé ça, vous ne pourrez plus vous en passer.

Dansez sur votre musique préférée… tout nu ou dans vos plus beaux vêtements.

Permettez-vous une sieste… dehors.

Mitonnez-vous un gâteau des anges et dégustez-le en bonne compagnie.

Réalisez une folie (sortez votre liste secrète).

Lisez les bandes dessinées du journal.

Envoyez un petit cadeau par la poste à un être cher.

Prenez un rendez-vous avec l'artiste ou l'enfant en vous et allez jusqu'au bout de l'aventure. Souvenez-vous comment vous vous sentiez lorsque l'on vous invitait pour une soirée, un café, à aller au théâtre, pour une fin de semaine, etc. Offrez-vous ce privilège. N'attendez plus.

Sautez dans le bus pour vous rendre à une destination nouvelle et revenez dormir chez vous. Ce n'est pas la destination qui compte, mais le voyage lui-même.

Amenez-en des risques!

Ne refusez aucune invitation pendant un mois. Oui, oui, j'ai bien dit un mois. Vous allez voir, ça passe très vite. Renouvelez au besoin.

Dites non ! Arrêtez de plaire à tous et chacun.

Au risque d'en choquer quelques-uns, écoutez-vous, pour une fois.

Faites l'essai d'une nouvelle coupe de cheveux ou d'une nouvelle coloration.

Prenez congé de tout pour 24 heures.

Complétez les choses moins rapidement et mesurez les résultats.

Essayez n'importe quoi pour la première fois, en autant que ce soit légal.

Pratiquez la vraie communication : celle qui implique l'écoute active de l'autre pour comprendre l'émotion derrière les mots et le ton.

Prenez un de vos chèques personnalisés et inscrivez un montant en baisers. Par exemple : mille baisers, payables le 12 mai.

Tout ce que vous effectuez est un choix. Risquez ! N'oubliez pas que les obligations auxquelles vous devez faire face ne résultent que des choix que vous vous êtes imposés.

Quels sont les vôtres ?
Prenez le temps de les écrire.

____

____

____

____

____

____

Coupons échangeables

À photocopier et découper sur un papier de couleur

Tu es invité(e) à t'exécuter dans une session de baisers ininterrompue pendant ____________________

Date : ____________________

Lieu : ____________________

Heure de début : ____________________

Préalable : ____________________

Nb : cette session peut être prolongée si les parties impliquées sont d'accord.

Ce coupon est échangeable contre un massage du dos ____________________

Date : ____________________

Lieu : ____________________

Heure de début : ____________________

Préalable : ____________________

Nb : cette session peut inclure d'autres parties du corps.

Ce coupon est échangeable contre un bain moussant pour deux

Date : ____________________

Lieu : ____________________

Heure de début : ____________________

Durée : illimitée

Ce coupon est échangeable contre une marche et une surprise…

Date : ____________________

Lieu : ____________________

Heure de début : ____________________

Préalable : ____________________

Ce coupon est échangeable contre un souper romantique et...

Date : ____________________

Lieu : ____________________

Heure de début : ____________________

Préalable : ____________________

Ce coupon est échangeable contre une journée anti-routine

Au menu :

____

____

____

____

Et moi dans tes bras

Date : __________________________

Préalable : ________________________

Question fréquente

Comment m'organiser pour avancer dans mes projets personnels ?

Lorsque la nouvelle année commence, on est souvent rempli d'espoir de réaliser des exploits. Il est notoire de remarquer que plus les gens ont des projets, moins ils tendent à les poursuivre lorsqu'ils constatent l'énormité de la tâche devant eux. Découragement et tendance à remettre les choses au lendemain se mettent alors de la partie. Comment remédier à la pression de la réussite à tout prix ?

Sur quelles priorités travaillez-vous en ce moment ? Sur celles qui contribuent à vous rapprocher de vos buts, sur celles qui contribuent plus ou moins à vos buts ou sur celles qui ne contribuent pas du tout à vos buts ? Pour réaliser vos projets personnels, vous

Question fréquente

devez laisser tomber celles qui ne contribuent en rien à ce à quoi vous aspirez.

Testez vos peurs. Sont-elles vraies ou des fantômes légués par vos parents ? Croyez-moi, être libéré de la peur est plus grand et plus fort que vous ne le croyez.

1. **Établir.** Écrire vos aspirations pour les douze prochains mois. Qu'est-ce que vous convoitez ? Sondez votre cœur. Questionnez-vous comme les gardes de la frontière canado-américaine le font et répondez aux questions suivantes : où allez-vous ? Pourquoi avoir choisi cette destination ? Pour combien de temps y serez-vous ? Est-ce pour améliorer votre apparence, votre emploi, votre mariage, la communication avec votre famille, pour finalement prendre des vacances de plus de deux jours consécutifs, pour créer de l'espace à un nouvel amour, pour régler les blessures du passé ?

Un ami m'a forcée à écrire les trente choses que je voulais accomplir avant de mourir. Depuis, je coche une réalisation à la fois avec un grand O.K. qui contient toute la fierté de l'avoir accomplie.

2. **Choisir.** Tout dépendant de l'ampleur des objectifs, un ou deux projets bien ficelés et qui occasionnent des changements durables seront plus satisfaisants que six projets avortés.

Quels projets sont les plus chers à votre cœur ? Trouvez les raisons de les réaliser pour votre satisfaction personnelle au lieu de les concrétiser simplement parce qu'un tiers vous harcèle depuis longtemps.

3. **Fixer l'échéance.** Quel serait un bon moment pour un dénouement positif du projet ? Vous êtes son auteur et son maître. C'est vous qui décidez de la date d'échéance.

4. **Le diviser en étapes.** Comment ? On pourrait comparer un projet complété à un hamburger. Sans farce ! Je m'explique : un hamburger garni de tous les condiments que vous adorez, rehaussé d'une viande de qualité et d'un petit pain parfait, c'est beau à

voir, non ? Ce hamburger est un projet complet. Il est composé de plusieurs étapes comme vos projets. Il y a des étapes plus importantes que d'autres comme la viande qui constitue la base de ce met. Si vous sautez une étape, le résultat ne sera pas le même.

5. **Récompensez-vous.** Établir une récompense par étape réussie. Créez votre liste.

Finalement, vos projets personnels demandent la même préparation que ceux réalisés dans le cadre de votre travail. Mais si vous voulez de nouveaux résultats, vous devrez changer votre méthode de préparation. Si vous croyez que vous allez y arriver, vous aurez raison. Si vous croyez que vous n'y arriverez pas, vous aurez aussi raison. C'est à vous de choisir. Le défi est de se préparer sans tuer la créativité ni la spontanéité. Bon projet ! Allez-y, agissez avec passion ! Osez réaliser vos rêves les plus fous.

Des énergivores ou des énergénérateurs ?

Chaque nouveau jour donne X heures à consacrer à vos activités, à votre famille et à vous-même. Qui laissez-vous entrer dans votre journée ? Un énergivore ou un énergénérateur ?

L'énergivore est une personne qui mange et gobe l'énergie vitale de l'autre. (Ex : les manipulateurs, les plaignards, les malheureux chroniques, etc.)

L'énergénérateur est une personne qui énergise par sa présence et son contact, qui engendre ou sert à engendrer, qui rend capable, qui génère de l'énergie vitale. (Ex : les lumineux, les créateurs, les solutionneurs, les passionnés, etc.)

Exercez-vous durant une journée pour vous amuser. Soumettez au test toutes les personnes avec qui vous êtes en contact. Les gens rationnels auront un plus grand défi avec ce jeu mais essayez, c'est tout ce que je vous demande. Je vous garantis que vous serez étonné de voir que des gens que vous estimiez sont pourtant énergivores.

Comment vous sentez-vous pendant la rencontre : votre poitrine se resserre-t-elle, votre cœur veut-il sortir de votre thorax, une pression serre-t-elle votre tête, vous défendez-vous? Ou bien un sourire intérieur ou extérieur est-il instantané, un calme joyeux vous envahit-il car cette personne vous révèle à vous-même et vous permet d'être dans le moment présent à 100% sans vouloir que cela ne s'arrête? Après la rencontre, êtes-vous fatigué ou heureux? Soyez objectif. Écoutez votre voix intérieure. Que vous révèle-t-elle? Posologie: procédez aux ajustements nécessaires.

Jouez les dés du mieux-vivre

Ce qui suit a été écrit à 4 heures du matin à la lueur d'une lampe de poche. La création n'attend pas. Sinon, on passe son tour.

Décompressez, déconnectez de temps en temps. Décélérez la vitesse à laquelle vous vivez.

Déstressez votre quotidien. Dédramatisez l'importance de certains événements. Désamorcez la bombe interne.

Débarrassez-vous des objets qui ne vous rendent pas heureux au jour le jour.

Détachez-vous de vos erreurs passées. Ne vous attirez pas le mauvais sort en cultivant des idées négatives. Retenez la leçon et continuez votre chemin.

Déclinez les demandes qui ne vous satisfont pas. Arrêtez de vouloir plaire et de démerder Pierre, Jean, Jacques. On dit que le désir de plaire est une maladie aussi grave que l'alcoolisme.

Découvrez de nouvelles passions, de nouvelles façons de travailler.

Défoncez vos propres barrières mentales.

Dégustez chaque moment de la vie parce que le temps, ce n'est pas de l'argent, c'est votre vie.

Déroulez dans votre esprit votre journée idéale et mettez-la sur papier. Dédiez-vous à vous rapprocher le plus possible de cet idéal.

Débutez un projet aujourd'hui. Divisez-le en étapes. Décidez de la date de réalisation et de votre récompense. N'oubliez pas les récompenses pour chaque étape-clé du projet. Encerclez cette date sur un calendrier ou dans votre agenda et passez à l'action.

Motivation et inspiration

Seul, sans aide, on ne peut arriver à tous nos objectifs. L'aide peut prendre plusieurs formes telles que : un contrat d'engagement signé concernant l'action concrète à accomplir de laquelle découlent des résultats, des assistants motivateurs, des énergénérateurs, des témoignages de gens qui ont réussi ou encore une phrase entendue ou lue au hasard qui chemine en nous. Je vous offre des petits bijoux qui, je l'espère, vous donneront un nouvel élan pour dépasser vos limites. Prenez note que certaines citations ont dû être traduites.

Le changement n'est pas produit sans inconvénient, même si c'est pour passer du pire vers le meilleur.

John Lee Hooker, musicien afro-américain

Soyez le changement que vous souhaitez voir dans le monde.

Mahatma Gandhi, pacifiste et politicien indien

Pour changer, il faut le vouloir vraiment et prendre le temps qu'il faut pour le faire.

Julie Carignan, psychologue organisationnelle québécoise

La seule chose qui perdure est le changement.

Robert Redford, acteur et réalisateur américain

Tout semble changer lorsque l'on change.

Henri-Frédéric Amiel, auteur suisse du XIXe siècle

La vie est un risque.

Diane Von Fürstenberg, designer de mode

La sécurité est une sorte de mort.

Tennessee Williams, auteur de théâtre

Si vous n'avez jamais peur ou n'êtes jamais embarrassé ou blessé, c'est que vous ne prenez jamais de risques.

Julie Sorel, auteur

Ce que vous risquez révèle ce que vous chérissez.

Jeanette Winterson

Notre peur profonde n'est pas d'être inadéquat. Notre peur profonde est d'être puissant au-delà de notre mesure. C'est notre lumière qui nous effraie, pas notre côté noir.

Marianne Williamson, auteur et conférencière américaine

La tragédie de la vie n'est pas qu'elle se termine trop vite mais vient plutôt du fait que l'on attend trop longtemps pour commencer à vivre.

W. M. Lewis, grand penseur américain

Rien n'est impossible. Si vous vous endormez en pensant qu'une chose est impossible, vous risquez d'être réveillé par le bruit qu'un autre fera en l'accomplissant.

Jean de la Bruyère, académicien français et homme de lettres de Louis de Bourbon

Agissez comme s'il était impossible de ne pas réussir.

Dorothea Broude

Les leaders sont des visionnaires avec un sens peu développé de la peur et n'ayant aucun concept des obstacles qui pèsent sur eux.

Dr. Robert Jarvik, inventeur du cœur artificiel

La peur, c'est l'ignorance.

Robert Lepage, auteur, comédien et metteur en scène québécois

La seule vraie prison est la peur et la seule vraie liberté est de se libérer de cette peur.

Aung San Suu Kyi, chef de l'opposition Burmese et Prix Nobel de la paix

Rêvez vos rêves les yeux ouverts et réalisez-les.

T.E. Lawrence, auteur et l'homme derrière la légende de « Lawrence of Arabia »

Les rêves sont comme les étoiles, ils semblent si loins mais jamais trop loins pour réussir à les attraper.

Moikanos

Certains d'entre nous font plus que rêver.

Georges Michael, chanteur populaire britannique

Je n'aurais jamais pu accomplir ce que j'ai accompli sans avoir acquis les habitudes de la ponctualité, de l'ordre et de la diligence.

Charles Dickens, auteur

La ponctualité est la politesse des rois.

Louis XVIII, roi de France

Cultiver la paix et l'harmonie en tout.

Georges Washington, premier président des États-Unis

Une vision sans action n'est qu'un rêve. L'action sans la vision ne fait que passer le temps. Une vision accompagnée de l'action peut changer le monde.

Loren Eiseley, auteur américain

La pensée de pauvreté vous lie à la pauvreté.

Suzie Orman, auteur américaine

Vautrez-vous dans les possibilités.

Emily Dickinson, poète américaine

Attendez-vous à l'inattendu.

Auteur inconnu

Ne jamais jamais jamais baisser les bras ou abondonner.

Sir Winston Churchill, homme d'État britannique

La chanson, *Y'a d'la joie*, a été écrite par Charles Trenet alors qu'il était en prison.

Il n'y a rien qui ne puisse arriver aujourd'hui.

Mark Twain, alias Samuel Langhorne Clemens, auteur américain

L'imagination mène le monde.

Napoléon, chef de l'armée française

La vie est une aventure stimulante.

Helen Keller, activiste et auteur sourde et muette

Prenez soin de vos dons et de vos talents.

Jean Shelton, professeure de théâtre émérite américaine

Tard dans ma vie, j'ai découvert que plus je travaillais intelligemment, plus chanceux je devenais.

Peter Urs Bender, auteur populaire canadien

Vous vendez soit un produit, un concept, un service ou vous-même.
Linda Blackman, entrepreneure américaine

… et quelqu'un qui croit très fort à quelque chose finit par créer une situation favorable à ses projets.
Marc Fisher, auteur populaire québécois

Il y a des gens qui ont de l'argent et des gens qui sont riches.
Coco Chanel, designer de mode

Ne jamais acheter quelque chose que vous ne voulez pas parce qu'il est en solde.
Thomas Jefferson, troisième président des États-Unis

Générez ce que vous pouvez avec ce que vous avez, où que vous soyez.
Theodore Roosevelt, vingt-sixième président des États-Unis

Les gagnants font ce que les perdants n'osent pas essayer.
Auteur inconnu

Sans échéance, mon petit, je ne ferais rien !
Duke Ellington, compositeur et musicien de jazz

Les grands esprits ont des buts, les autres n'ont que des vœux.
Washington Irving, auteur américain

N'essayez pas de devenir une personne à succès mais plutôt une personne de valeur.
Albert Einstein, physicien, Prix Nobel de physique de 1921

Nous pensons en termes de généralités mais nous vivons en détails.
Alfred North Whitehead, mathématicien et philosophe britannique

La grande leçon que j'ai apprise dans ma vie est qu'il n'y a pas de substitut au fait d'être attentif à ce qui se passe autour de soi.
Diane Sawyer, animatrice de télévision américaine

Tout grand accomplissement a déjà été considéré comme impossible.
Auteur inconnu

Pour le monde, vous n'êtes qu'une personne mais pour une personne vous pouvez être le monde.
Anonyme

Vous ne pouvez êtes content de rien quand vous n'êtes pas content de vous.
Lady Mary Wortley Montagu

L'ultime cadeau est d'offrir une portion de soi.
Ralph Waldo Emerson

La journée est si jolie ! Je devais t'écrire une lettre...
John Ashbery, poète et critique

Soyez patient – Ce qui sépare les chialeux des gagnants, c'est l'habileté à persévérer.
Anonyme

Je peux être qui je veux si je fais confiance à la musique, cette vibration de Dieu qui est à l'intérieur de moi.
Shirley MacLaine, comédienne américaine et auteur de *It's all in the playing*

Je n'ai jamais vraiment cru qu'il n'y a qu'une seule chance.
Anne Tyler, auteur

L'art de materner est d'enseigner l'art de vivre aux enfants.
Elaine Heffner, psychologue et auteur

Apprendre à vivre dans le moment présent fait partie du chemin vers la joie.
Sarah Ban Breathnach, auteur américaine

Ma pensée est à la source de toutes mes actions.
Anonyme

Vous êtes ce que vous pensez être. Qui croyez-vous être ?

Prenez une pause le temps que je vous raconte

Parfois, il suffit d'une phrase pour déclencher une chaîne de réactions qui changera le cours de notre vie. Cette phrase agit comme une poussée, celle qui nous manquait pour sauter vers l'inconnu. Je me souviendrai toute ma vie de cette fameuse phrase, m'ayant fait l'effet d'un coup de poing au visage tel un 2 par 4 en plein front. Ça m'a réveillée pour de bon. Je vous souhaite cette phrase, quelle qu'elle soit.

Statistiques

Selon le réputé Canadian Fitness and Lifestyle Research Institute, dans une semaine de travail typique, un canadien passe 10,5 heures à travailler et à aller et revenir du travail, en plus de passer quatre heures à réaliser des tâches ménagères et à s'occuper des enfants ou de parents vieillissants (source : *The Gazette*, article « Stress », 26 février 2006).

Au Canada, plus de la moitié (56 %) des personnes âgées de plus de 20 ans était physiquement inactive, en 2001. Le Québec est en deuxième position au niveau de l'inactivité physique avec 62 %, précédé de près par le Nouveau-Brunswick avec 64 %. (source : Statistique Canada)

Selon André Gosselin, sociologue, ceux qui maîtrisent leur vie et qui entretiennent leurs relations sociales ont plus de chances d'être heureux. Il ajoute « plus on a de relations sociales, plus notre niveau de bonheur augmente ». Il conclut en disant que « ceux qui tentent de réaliser leurs rêves, même sans les atteindre, jouissent d'un plus grand bien-être que les autres » (tiré de l'article « L'Endurance : une condition au bonheur », magazine *Action PME*, avril 2005).

Sites Web

www.pzizz.com
Une programmation neurolinguistique sur fond musical qui invite au repos mental. Elle procure une relaxation profonde et énergisante tant pour le corps que l'esprit. Expérimentez ce programme en cliquant sur la rubrique démo du site Web. Rafraîchit, revitalise et concentre l'attention.

www.litteraire.ca
Site de la Fédération québécoise du loisir littéraire. Des ateliers, des conférences et des activités d'écriture pour tous.

www.aatq.org
Site de l'Association des arts-thérapeutes du Québec.

www.cardiopleinair.ca
Comme le site Web le dit si bien : un gym à ciel ouvert qui permet d'avoir un entraînement complet et une bonne oxygénation tout en

socialisant et en profitant de la nature. Disponible dans cinq régions du Québec.

www.passeportsante.net
Site regorgeant d'informations, de références et de solutions pratiques sur la promotion de la santé et la prévention de la maladie pour le grand public.

www.laccompagnateur.org
Site destiné à aider les parents ayant des enfants vivant avec un handicap.

www.fadoq.ca
Site Web de la Fédération de l'Âge d'or du Québec. Pour communiquer avec eux, composez le 1-800-828-3344.

Vos notes

Chapitre 9
La récompense : les voyages et les sorties

Le plus beau voyage, c'est celui qu'on n'a pas encore fait.
Loïck Peyron (navigateur français)

Qui ne souhaite pas être traité aux petits oignons de temps en temps, surtout pendant les vacances et les sorties ? Voici mes trucs pour profiter du bon temps. Dites au revoir au cellulaire, aux échéances, bouchons de circulation, pourriels et autres agents de stress.

Précisez vos priorités

Votre budget peut inclure l'assurance voyage, la location de véhicule, l'avion, les vaccins, le passeport : s'il est à renouveler, allouez 85 $ par adulte et 65 $ par enfant, achats de cadeaux pour ceux qui vous accueilleront, achats spéciaux tels que souliers d'escalade ou gants de golf, etc.

N'achetez pas de cartes routières, guides ou plans de ville qui ne vous serviront qu'une seule fois. Empruntez-les plutôt à vos amis ou photocopiez seulement les pages qui vous intéressent. Demandez ce qu'ils ont aimé le plus, les choses à éviter et les incontournables de cette destination.

Ajoutez au moins 10 % de plus à votre budget pour couvrir les dépenses non prévues. Ces dépenses peuvent être : transport inattendu, opportunités de tous genres, objets oubliés dans les différents lieux fréquentés, etc.

Quels sont les activités et les lieux que vous ne voulez pas manquer ?

Les incontournables, sans lesquels vos vacances seront ratées ?

Planifiez autour de ces activités en ayant une limite budgétaire sinon vous paierez pour des souvenirs de vacances pendant des mois.

Si vous ne voyagez pas seul

- Ne surchargez pas vos journées d'activités.
- Respectez le besoin de solitude et l'espace d'autrui et verbalisez vos besoins à ce sujet.
- Acceptez des compromis si vos intérêts sont divergents.
- Laissez vos soucis à la maison.
- Profitez-en au maximum. Ne perdez pas de temps devant le téléviseur à l'étranger.

Voyages d'agrément

Billet d'avion

Pour trouver les meilleurs billets, naviguez sur Internet en vous référant aux sites Web recommandés à la fin de ce chapitre. Abonnez-vous aux lettres hebdomadaires (*newsletters*) des agences de voyages virtuelles pour la durée de vos recherches car ils ont alors des offres spéciales additionnelles. Pour plus de trucs, référez-vous à la section « Billets d'avion pour voyages d'affaires » de ce chapitre.

N'oubliez pas de prendre des assurances médicales lorsque vous sortez du Canada ou lorsque vous louez un véhicule. Vérifiez si les termes de votre assurance au travail couvrent toutes les éventualités. Certaines cartes de crédit avec frais annuels ont des assurances collisions intégrées.

La survente de sièges est courante pour toutes les lignes aériennes principales. (La survente consiste à réserver des sièges excédant la capacité maximale de l'appareil.) C'est pourquoi je vous conseille l'assignation d'un siège lors de votre réservation plutôt que de le demander une fois devant le comptoir d'enregistrement.

Si vous n'êtes pas pressé de vous rendre à destination, présentez-vous au comptoir de votre ligne aérienne dès le début des enregistrements et portez-vous volontaire pour prendre le prochain vol disponible. Vous pourriez ainsi obtenir un dédommagement allant jusqu'à 300 $ selon le transporteur, pour les départs du Canada.

Utilisez vos milles aériens ou ceux d'amis qui ne les utiliseront jamais. Demandez-les en cadeau. Ils sont facilement transférables (allouez quelques semaines pour le transfert). L'inscription à ces programmes est généralement gratuite et rapide par Internet.

Pour être admis en première classe sans payer de surplus, soyez bien habillé car l'habit fait le moine dans cette circonstance. La politesse et un sourire sincère envers le préposé au comptoir sont de rigueur. Puis, lancez-vous. « Est-ce possible d'être placé en première classe ? » Les préposés seront en mesure de vous dire si certaines places en première classe n'ont pas été vendues et sont encore disponibles suite à des annulations.

Il est permis aux passagers voyageant en classe économique d'enregistrer sans frais des bagages jusqu'à 20 kg (44 lb). Pour tout bagage excédant ce poids, vous devrez payer 5$ CA le kilo excédentaire, à l'aller et au retour.

Hôtel

Comment avoir une chambre haut de gamme sans payer de surplus ? Avant votre arrivée, communiquez avec le coordonnateur des réservations. Il sera en mesure de vous informer des meilleures affaires. Ayez du doigté, de la politesse et un sourire dans la voix. Faites-lui part de vos dates de réservation ou de votre code de réservation ainsi que du type de chambre réservée. Si vous fêtez un événement spécial, le coordonnateur fera de son mieux pour vous accommoder. Le *schmoozing* est bienvenu. (Une personne qui *schmooze* voit des opportunités là où il n'y en a pas en apparence, développe des amitiés par ces rencontres, avance inexorablement vers ses buts par sa façon d'agir, d'écouter, de remarquer, de maintenir ses contacts en se glissant là où il veut être.) Demandez-lui si l'utilisation d'une carte de crédit particulière vous donnerait une réduction additionnelle de 10 ou 15 %. Si toutefois les tarifs sont exagérément bas, ne vous gênez pas pour demander pourquoi. Est-ce que l'hôtel est situé près d'un quartier peu recommandé ou dangereux, à des kilomètres de toute civilisation ou dans une zone sinistrée ? Des prix « vente de feu » devraient vous mettre la puce à l'oreille.

Si possible, fuyez les grands centres lors du choix de votre hôtel. Le tarif des chambres est moins élevé dans les banlieues. Les stationnements sont plus faciles à trouver et le service sera meilleur. Ces critères sont non négligeables en vacances.

Lit abordable au Canada pour petit budget.
Visitez le site www.cuccoa.org géré par the Canadian University and College Conference Officers Association. La plupart des dortoirs collégiaux et universitaires sont disponibles du 1er mai à la fin août. Ces institutions ont investi dans l'amélioration de leurs résidences ces dernières années, contribuant à les rentabiliser et à améliorer votre confort. Les chambres à petits prix sont souvent les premières réservées. Agissez tôt.

Faites du lunch votre plus gros repas de la journée car les menus du soir sont toujours de 20 à 30 % plus chers que les menus du midi. Vous sauverez des sous pour les événements du soir comme le théâtre. Pour ceux ayant des allergies, imprimez la liste de vos allergies sur une carte de format professionnel que vous remettrez aux serveurs. Vous aurez un service plus rapide et un serveur plus accommodant.

Certains hôtels offrent maintenant aux invités souffrant d'allergies des services pour leur faciliter la vie. La chaîne Four Seasons retirera, sur demande, tous les produits de toilette et nettoiera la chambre avec des produits anti-allergènes. Les produits de toilette sans parfum, une literie sans plumes et des purificateurs d'air seront fournis. Le Fairmont Vancouver Airport est le premier hôtel à offrir un étage complet aux invités souffrant d'allergies.

Considérez la formule « Tout Inclus ».
Pas de surprise, pas de limite. Demandez toujours ce que comporte votre forfait. Il inclut habituellement la chambre, plusieurs repas ou tous les repas, l'alcool, certaines activités de base, les taxes et le transfert de l'aéroport. Si toutefois, vous ne buvez pas d'alcool, cherchez une offre plus avantageuse qui répond mieux à vos besoins et à ceux des gens qui vous accompagnent.

Les «Bed & Breakfast» ou «Couette & Petit-déjeuner» (le prix de la chambre inclut le petit déjeuner) sont de bonnes alternatives. Le réseau québécois de chambres champêtres est un bon endroit pour procéder sa recherche. (www.hotelleriechampetre.com; appel sans frais: 1-800-861-4024). Certains hôtels favorisent la famille. Les tarifs de semaine peuvent différer de ceux de la fin de semaine.

Hors saison/Haute saison.
La haute saison n'est pas la même pour chaque région du Canada. Vérifiez avec le bureau touristique de la région à visiter. Vous ferez des économies et, surtout, l'achalandage des sites touristiques sera moindre.

En voyage, évitez délibérément d'écouter la télévision. Pourquoi? Pour son coût tout simplement. Hypothèse: si vous partez pendant 14 jours, que vos frais de voyage s'élèvent à 3000$, et que vous regardez la télévision durant 10 heures, il vous en coûtera 89,29$ pour cette activité.

Divisez 3 000$ par 14 jours x 24 heures x 10 heures. Le résultat obtenu sera de 89,29$.

Théâtre

Comment obtenir les meilleurs prix?
Téléphonez au bureau des réservations du théâtre et demandez quels sont les spéciaux offerts. Les représentations en après-midi sont-elles moins coûteuses? Si vous achetez vos billets 30 minutes avant la levée du rideau, le prix des billets sera-t-il réduit? Y a-t-il une journée dans la semaine où les prix sont fixes ou réduits? Si vous achetez plus d'un billet, aurez-vous un rabais (sur le 2e ou le 5e billet)? Ce sont des pistes utiles autant en Amérique du Nord qu'en Europe. Il n'y a aucun mal à demander.

Spas

Certaines grandes chaînes hôtelières offrent des services de spa à leur clientèle. Si vous réservez de trois à cinq nuitées, demandez si vous pourriez profitez d'un forfait spa gratuit (un massage, un facial, une pédicure ou une manucure).

Truc

Un drainage lymphatique au lieu d'un massage ordinaire peut soulager les passagers qui souffrent d'œdème causé par la pression dans les avions et le décalage horaire. Ce type de massage rétablira le rythme de la circulation lymphatique. La pressothérapie est suggérée pour les jambes fatiguées.

Encore une fois, certains hôtels avantagent le paiement avec certaines cartes de crédit pour ces petites douceurs.

Un mois avant le départ

Vérifiez si le solde de votre carte de crédit est suffisant pour la période de vacances sinon remboursez votre créditeur ou munissez-vous de chèques de voyage et gardez les numéros de série en lieu sûr pour vous y référer en cas de perte ou de vol. Vérifiez la date d'expiration de votre carte. Si celle-ci expire pendant vos déplacements, communiquez sans tarder avec votre compagnie émettrice afin de recevoir votre nouvelle carte avant votre départ. Il est recommandé de se munir d'un minimum de devises du pays visité pour les menus achats et pour parer aux imprévus. N'étalez jamais votre argent en voyage.

Si vous voyagez avec des animaux, assurez-vous que chaton et toutou sont immunisés. Pour être admis à bord, les chiens et chats doivent être mis dans une cage placée dans la soute. Seuls les animaux aidants qui accompagnent un passager à capacité réduite peuvent monter dans la cabine. Certains pays comme le Royaume-Uni et Hawaii refusent l'entrée d'animaux. S'ils restent à « balconville », assurez-vous de réserver une place dans un chenil au moins un mois à l'avance, durant l'été.

Une semaine avant le départ

- Placez les bijoux de valeur dans un coffre de sécurité.
- Annulez la livraison des journaux pour la période de vacances.
- Déplacez les plantes extérieures dans un endroit ombragé.

- Demandez à votre service postal de garder votre courrier pour la période de vacances.

Si vous partez plus de 30 jours, prévoyez vérifier votre compte courriel avec les Hotmail du monde virtuel. Sinon, votre compte pourrait bien être fermé durant votre absence, emportant avec lui toutes les informations sauvegardées.

Munissez-vous d'une carte d'appels qui répondra à vos besoins. Par exemple: si vous allez aux États-Unis, une carte d'appel Leader au prix de 5$ vous donnera 151 minutes de communications. La carte Leader et bien d'autres sont en vente principalement dans les dépanneurs. Le carnet Canada-Direct vous donnera le code à composer à partir de centaines de destinations à travers le monde afin de rejoindre une téléphoniste du Canada, au tarif à la minute du Canada.

Avertissez un voisin fiable de votre départ afin qu'il jette un œil sur votre demeure. Vous pouvez vous entendre sur certains détails tels que la coupe de la pelouse, l'arrosage des plantes, etc. Un appel téléphonique à la mi-temps de vos déplacements vous rassurera.

Le jour du départ

- Vérifiez que toutes les portes et fenêtres soient bien verrouillées.

- Si vous ne prenez pas votre auto, laissez-la dans votre allée.

- Coupez l'eau de votre laveuse, éteignez le chauffe-eau, armez le système d'alarme.

- Débranchez les petits appareils électriques.

- Installez un cadran d'auto-allumage des lampes à votre résidence et prévoyez des heures d'allumage différentes pour chaque pièce. Un intervalle de 15 à 30 minutes est convenable.

- Installez les plantes d'intérieur fraîchement arrosées dans le bain ou le lavabo, sur une grande serviette imbibée d'eau. Les plantes pourront ainsi demeurer hydratées.

- Ne changez surtout pas le message d'accueil de votre répondeur. Vous ne voudriez pas donner des idées aux voleurs potentiels.

- Pour des informations complémentaires, consulter le site : www.checklists.com et son lien sur les voyages.

Voyages d'affaires

Pour être dans le coup, il faut de la planification et être un peu futé. Étapes : billet d'avion, hôtel, voiture, rendez-vous. Préparés dans l'ordre, vous aurez l'esprit disponible aux objectifs du voyage d'affaires et non préoccupé par les détails techniques. Si vous ne souhaitez pas vous acquitter de ces tâches personnellement, vous pouvez les déléguer à un agent de voyage en qui vous avez confiance. Suite à mon expérience en tant qu'assistante d'un président de compagnie voyageant partout dans le monde, voici mes trucs :

Billet d'avion

Comparez les prix. L'Internet est maintenant un incontournable pour vous aider dans votre recherche. De plus, il vous fera épargner de 10 à 50 % du prix régulier. Procédez à une première recherche selon vos heures idéales d'arrivée, puis avec les heures acceptables d'arrivée. Imprimez les prix et les détails et conservez-les. Naviguez maintenant sur les meilleurs sites pour vous dénicher le meilleur billet d'avion. Voir la liste des sites Web recommandés à la fin de ce chapitre.

Réservez au moins 7 à 14 jours avant votre départ. Les billets électroniques (un billet d'avion qui est acheminé par courriel) sont très pratiques. Que vous ayez des bagages à enregistrer ou pas, votre passage au comptoir d'inscription automatique de la compagnie aérienne sera une formalité (environ 2 minutes).

Devenez familier avec les restrictions des lignes aériennes telles que les restrictions du samedi (obligation de demeurer à destination au moins un samedi). Toutefois, depuis 2002, on voit de plus en plus de compagnies aériennes qui laissent tomber cette restriction, laquelle est souvent un inconvénient pour les voyageurs.

Restez branché à bord de l'avion. Plusieurs compagnies aériennes offrent l'accès à Internet dans la classe affaire.

Hôtel

Pour les meilleurs prix, visitez le site de la ville visitée. Toutes les grandes villes du monde ont maintenant leur site avec des liens vers les grandes chaînes hôtelières et les plus petits hôtels ainsi que certains Bed & Breakfast. (Tapez le nom de la ville par exemple : Toronto, Chicago.)

Si vous affectionnez particulièrement une chaîne hôtelière, il serait avantageux de détenir une « carte privilège » telles que « *Honors Hilton* », « *Marriott Rewards* », « *Starwood Preferred Guest Card* », « *TripRewards card* » des Days Inn Hôtel ou le « *Wyndham ByRequest Card* »... Vous accumulez des points pour vous offrir une nuitée gratuite. L'adhésion est sans frais. Il suffit d'en demander les détails lors de votre réservation ou de votre arrivée à l'hôtel.

Voiture

Plus la valeur de la voiture est élevée, plus elle sera chère à la location. Soyez précis lors de votre demande. Compacte ou sous-compacte, pour circuler sur les autoroutes ou en ville ? Combien de jours en aurez-vous besoin ? L'essence est-elle incluse ? Que couvrent les assurances ? Est-ce plus avantageux de louer ou de prendre le taxi ou même le train ? Réservez votre véhicule par le biais de votre hôtel. Ils ont souvent des ententes avantageuses avec les compagnies de location. De plus, vous pouvez laisser le véhicule à l'hôtel pour que celui-ci s'occupe de la rendre à la compagnie de location, lors de votre départ.

Avant de partir

- Imprimez une copie de votre passeport et gardez-le en lieu sûr.
- Dites à votre assistant ou réceptionniste à quelle fréquence vous appellerez.

- Désignez une personne pour prendre les décisions pendant votre absence.

- Préparez quatre copies de votre itinéraire détaillé : une pour vous, une pour votre assistant, une pour votre partenaire de vie et une pour le comptoir d'enregistrement de l'hôtel.

- Livrez à votre hôtel, par courrier rapide, tous les objets lourds ou encombrants et ce au moins 48 heures avant votre départ.

- Ne confirmez aucun rendez-vous important le jour de votre retour car il survient toujours des imprévus. Attention au décalage horaire, selon le cas.

- Vérifiez la liste des choses à ne pas oublier avant de partir. Si vous n'en avez pas, créez-en une. Cette liste peut inclure : passeport, documents importants, cartes professionnelles, brochures, numéro de téléphone pour vous brancher à Internet selon la ville ou le pays visité, le trajet de l'aéroport à l'hôtel, la température de la ville durant votre voyage, du papier à en-tête de votre compagnie, une enveloppe de reçus pour votre compte de dépenses, les numéros de confirmation de la réservation d'hôtel et de voiture (toutefois, ces derniers devraient être intégrés à votre itinéraire).

- Si vous voyagez aux États-Unis, vous pouvez vous procurer un visa d'affaires temporaires pour 6$ US. S'informer à Douanes Canada.

La valise

Votre agenda électronique et votre brosse à dents ne suffiront pas à produire une bonne impression. Votre pièce maîtresse sera, entre autres, une valise adaptée à vos besoins selon la durée du voyage. Vous aurez besoin d'une valise de 20 par 22 pouces sur roulettes pouvant vous accommoder jusqu'à une semaine, d'un porte-documents, d'un sac à main ou de fin de semaine et d'un sac à dos pour vos excursions touristiques. Attention à la taille et au poids du bagage à main. Ceux-ci ne doivent pas excéder 23 x 40 x 51 cm (9 x 16 x 20 po) et 5 kg (11 lb). Les bagages de dimensions et de poids supérieurs à ces limites devront être enregistrés.

C'est souvent lorsqu'on arrive à destination qu'on réalise nos oublis. Une liste des essentiels à apporter pour chaque type de voyage (un voyage éclair de 24 heures, une semaine outre-mer, etc.) laissée dans votre valise et mise à jour à chaque voyage sera d'une grande assistance et réglera ce problème. Reportez-vous à la section « question fréquente » de ce chapitre pour plus de détails.

Pour ne pas vous fatiguer inutilement à transporter 25 kg de vêtements alors que 5 kg auraient suffi, identifiez au préalable les vêtements que vous porterez. Votre itinéraire détaillé de voyage vous sera d'une grande utilité dans ce choix. Aurez-vous à assister, entre autres, à plus d'un lunch d'affaires, à un gala en tenue de ville ou décontractée, ferez-vous un tour de ville ou une visite d'une ferme expérimentale ? Misez sur des couleurs neutres (noir, beige, bleu) qui s'agencent et des tissus qui se froissent peu (cachemire et rayonne). Pour limiter les plis sur vos vêtements, placez des sacs de plastique récupérés de votre nettoyeur entre les plis de tous vos vêtements et entre chacun d'entre eux. Placez les vêtements selon leur poids : plus ils sont lourds, plus ils doivent se trouver au fond de la valise. Enveloppez chaque vêtement dans un sac plastique ou roulez-les pour qu'ils ne se froissent pas.

Pour des raisons d'espace et de transport, l'utilisation de format de voyage pour vos produits de toilette est conseillée. Rassemblez-les dans un sac transparent et hermétique pour autant faciliter la vérification des agents de sécurité des aéroports qu'éviter les fuites.

Dès votre arrivée à l'hôtel, installez-vous comme à la maison pour créer un sentiment d'appartenance. Suspendez vos vêtements sur des cintres, branchez votre ordinateur, disposez vos essentiels de toilette dans la salle de bain, etc.

Rendez-vous

Si vous prenez la carte professionnelle d'un client potentiel, inscrivez des informations-clés (veut-il des informations supplémentaires, un rendez-vous, etc.) derrière la carte afin de faciliter vos suivis à votre retour. Accumulez-les à un seul endroit comme dans une enveloppe avec mention « cartes professionnelles » (clients ou fournisseurs). Si vous avez des cartes de remerciements à envoyer, prenez le temps passé dans l'avion lors du retour pour les compléter.

Question fréquente

J'oublie toujours de mettre certains indispensables dans ma valise, avez-vous une solution pour ne rien oublier ?

Si vous avez oublié de le convier à vos dernières vacances ou voyages d'affaires, dorénavant, vous vous ferez un devoir de l'inviter en tout temps.

Elle ne prend pas de place, vous sauve des pas et des ennuis et ne discute pas vos choix de vêtements. De qui s'agit-il ? C'est la liste maîtresse des choses à ne pas oublier pour garder l'esprit sur les priorités du voyage, qu'ils soient pour le repos ou pour le travail. Cette liste doit être mise à jour dès votre retour de voyage afin de ne pas répéter les oublis regrettables.

La liste soleil peut contenir les choses suivantes.

Lunettes de soleil avec filtres UVB et UVA, crème solaire et crème après-soleil, serviette de plage, chapeau mou, sac de plage, appareil photo ou appareil jetable, bouteille d'eau, barres repas, lunettes d'approche, équipement de plongée sous-marine, maillots de bain, souliers de plage, sortie de bain, cartes énumérant vos allergies alimentaires (les garçons de table apprécieront ce geste qui simplifiera leur travail et celui du chef cuisinier) et souliers de marche. Facultatif : ballon gonflable, jeux de cartes, serviette de bain avec un imprimé du jeu tic-tac-to ou de serpents et échelles (des heures de plaisirs), mini-lampes de poche, chandelles et allumettes (en cas de panne électrique).

Liste voyage d'affaires :

Votre itinéraire détaillé de voyage produit en trois copies (pour votre assistant, votre conjoint et votre hôtel), cartes professionnelles, papiers et enveloppes à en-tête de votre compagnie (pour écrire les cartes de remerciement durant le vol de retour), cadeaux à l'effigie de votre compagnie, adaptateur (pour vos appareils électriques lors de vos voyages en Europe), vêtements adaptés aux activités prévues ainsi que vêtements d'entraînement. De plus, votre sac de cabine devrait contenir les essentiels de toilette, une tenue de travail et vos dossiers fragiles. Si vos bagages se perdent ou tardent à vous revenir, vous pourrez vous débrouiller pour le premier jour.

Liste pour l'avion :

Une bouteille d'eau d'au moins 500 ml, lingettes pour se rafraîchir, bouchons d'oreilles, écouteur spécial d'avion (qui peut être obtenus durant le vol même), petit paquet de papiers mouchoirs, tube d'anti-germes sans eau de type Purell, cachets contre le mal de tête, châle ou manteau chaud (l'air est souvent glacial et il se peut qu'il ne reste plus de couverture, remplie de microbes d'ex-passagers, lorsque votre tour viendra), pantalon long confortable, bas, lectures variées, collation ou un sandwich santé, support lombaire (ex : serviette de plage) et support cervical. Conseil général : minimisez votre consommation d'alcool durant le vol car il est un diurétique et fatigue votre corps. Les essentiels de toilette devraient inclure aussi une brosse à dents de voyage, un petit tube de dentifrice, un rince-bouche et de la soie dentaire.

Cinq conseils pour éviter d'être malade en voyage.

1. Renseignez-vous sur les maladies qui sévissent dans les régions où vous irez. Consultez votre médecin pour obtenir les vaccins nécessaires.

2. Buvez de l'eau pure et nourrissez-vous correctement.

3. Avant de consommer une boisson contenant des glaçons, demandez si ceux-ci sont fabriqués avec de l'eau potable.

4. Limitez votre exposition aux insectes.

5. Évitez les comportements sexuels à risque.

Avant d'acheter un souvenir… posez-vous les questions suivantes.

1. Comment vais-je ranger et transporter ce souvenir d'ici à mon retour ?

2. Aurais-je à acquitter des frais aéroportuaires additionnels reliés à cet achat ?

3. La personne va-t-elle vraiment apprécier ce présent ou est-ce un objet qui s'ajoutera simplement à son bric-à-brac ?

L'étiquette, ailleurs dans le monde

Voici quelques exemples.

En Écosse : parler trop fort en public est considéré comme une offense.

En Malaisie : évitez de porter du jaune, cette couleur est réservée à la royauté malaisienne.

Au Moyen-Orient : les femmes doivent se vêtir modestement en tout temps, en ayant un col près du cou, des jupes longues et des manches qui vont au moins jusqu'aux coudes.

En Inde : photographier certains édifices gouvernementaux, aéroports et autres sites est prohibé.

En Suisse : la façon dont on se tient, s'assoit et se présente est d'une grande importance.

Dans les pays musulmans : l'alcool est prohibé.

En Islande : vous pourriez être emprisonné si vous tenez des propos racistes.

Au Japon et ailleurs en Asie : il est suggéré de laisser un peu de nourriture dans votre bol ou un peu de boisson dans votre verre pour indiquer que vous n'avez plus faim ni soif sinon attendez-vous à être servi de nouveau.

Pour les femmes qui désirent visiter des lieux de culte, il est recommandé d'apporter un châle pour couvrir la tête et les épaules dénudées. Les bermudas sont tolérés mais vous serez refoulée à l'extérieur des lieux si vous portez des shorts ou une minijupe.

Le symbole O.K.: ce symbole fréquemment utilisé en Amérique du Nord ne veut pas dire «super» ailleurs. Il est considéré déplacé en Allemagne et les Français l'utilisent pour signifier qu'une personne est nulle ou sans valeur. Au Japon, il symbolise l'argent et peut être vu comme une offre frauduleuse.

En faisant une recherche adéquate sur le code vestimentaire, les coutumes, l'étiquette, le protocole et les jours fériés dans les contrées inconnues, on s'assure de profiter de son séjour.

Il est toujours souhaitable de connaître quelques mots de base de la langue parlée du pays à visiter. Par exemple, certains mots de salutation, l'heure, comment demander les directions vers un restaurant, votre hôtel ou comment appeler un taxi ainsi que la conversion de votre argent en devises du pays. Si cet exercice n'est pas possible, un petit carnet de photos ou de dessins montrant des objets ou des lieux du quotidien peut servir couramment dans un pays où la langue n'est pas latine. Les photos peuvent montrer une gare ferroviaire, un aéroport, un cornet de crème glacée, un supermarché, un parc, un cinéma, un hôpital, un restaurant, etc. Il vous sera plus facile de demander des indications avec ce support visuel.

Pour éviter la panique lorsqu'on se perd dans une nouvelle ville, il est bon d'avoir sur soi l'adresse et le numéro de téléphone de son hôtel. Pour faciliter cette tâche, il suffit de prendre une copie de la brochure de l'hôtel en question.

Registre de photographies

Film numéro : ____________________

Sensibilité : ____________________

Date : ____________________

1. ____________________
2. ____________________
3. ____________________
4. ____________________
5. ____________________
6. ____________________
7. ____________________
8. ____________________
9. ____________________
10. ____________________
11. ____________________
12. ____________________
13. ____________________
14. ____________________
15. ____________________
16. ____________________
17. ____________________
18. ____________________
19. ____________________
20. ____________________
21. ____________________
22. ____________________
23. ____________________
24. ____________________
25. ____________________
26. ____________________
27. ____________________
28. ____________________
29. ____________________
30. ____________________
31. ____________________
32. ____________________
33. ____________________
34. ____________________
35. ____________________
36. ____________________

Prenez une pause le temps que je vous raconte

Quoi de plus stressant que de prendre le train à Paris ? Le rater. Je devais rejoindre des amis à Avignon pour l'après-midi. Je me rends donc à la gare Saint-Lazare. On m'informe d'un malheureux contretemps : « M'dame, c'est à la gare de Lyon qu'il faut aller. » Après avoir repris le métro, j'arrive enfin à la dite gare quand j'entends : « Dernier appel pour les voyageurs à destination de... Avignon sur le quai 4. » Une panique s'installe rapidement car je n'ai pas de ticket et le distributeur de tickets ne m'est pas familier... J'ai raté mon train pour m'en réjouir le soir venu. Pourquoi ? Durant son trajet, le train dérailla causant la mort de quelques passagers et plusieurs blessés. Ouf ! Vive les distributeurs de tickets automatiques !

Un petit extra

Je ne prends ordinairement pas de photos en vacances. Mais je veux ramener quelque chose qui traversera le temps sans pour autant ramasser la poussière et prendre trop d'espace dans mes valises. J'ai trouvé l'idée qui marche pour moi : des taies d'oreillers. Cette semaine, je dors à Florence. Divin !

Statistiques

Où passerez-vous vos vacances ? En 2005, plus de 26 % des 954 répondants d'un sondage en ligne ont affirmé qu'ils les passeront à la maison (source : www.petitmonde.com).

En janvier 2005, le nombre de voyages des Canadiens vers les pays d'outre-mer a augmenté pour atteindre le plus haut niveau jamais enregistrés (source : Statistique Canada).

Sites Web

Attention : sur les sites internationaux ayant « .com » à la fin de l'adresse, les prix des objets en vente sont souvent en devises américaines.

www.oralys.ca
« Le communicateur Oralys utilise une approche basée sur l'imagerie mentale appelée idéographie active combinée à des éléments multisensoriels qui utilisent des sons ainsi que des symboles. « Le communicateur Oralys est une solution unique et conviviale en matière de communication et de traitement des langues naturelles en temps réel. »

www.alpha-lite.com
Le simulateur d'aube est jumelé à un réveille-matin et simule l'apparition progressive de l'aube en s'allumant graduellement pour vous réveiller en douceur à l'heure programmée.
Info : 1-877-337-3544, environ 180 $.

www.admtl.ca
Site de l'aéroport Pierre-Elliott-Trudeau à Dorval. Obtenez toutes les informations en temps réel sur les vols (heures de départ et d'arrivée).

www.budgettravel.com
Site américain sur le voyage. Le magazine *Budget Travel* est fort bien produit. Il regorge d'idées et d'articles, plus intéressants les uns que les autres. À consulter.

www.airmiles.ca
Programme de récompense. Accumulez des points Airmiles parmi des commanditaires variés puis échangez vos points pour divers articles, loisirs, divertissements, escapades et services.
Appel sans frais : 1-888-AIR-MILES.

www.destina.ca
Guichet en ligne pour l'achat de billets d'avion. Obtenez des points Aéroplan avec tout achat.

www.voyage.gc.ca
Appel sans frais : 1-800-267-6788, site gouvernemental pour informations et assistance aux Canadiens à l'étranger.

www.travelocity.ca
Agence virtuelle de réservations de vols, de chambres d'hôtels, de voitures et de séjours.

www.expedia.ca
Agence virtuelle de réservations de vols, de chambres d'hôtels, d'activités et de voitures.

www.cheapticket.com
Agence virtuelle de réservations de vols, de chambres d'hôtels, de voitures et de séjours.

www.tripeze.com (Une division des services de voyages Sears)
Agence virtuelle de réservations de vols, de chambres d'hôtels, de voitures et d'assurances. Les prix pour les départs en avion du Canada sont en dollars canadiens.

www.flyana.com
Site de Diana Fairechild, ex-agent de bord, conseils et solutions à bord d'un avion, une manne d'informations.

www.journeywoman.com
Site spécialement créé pour les voyageuses. Une manne d'informations à visiter sans faute.

www.womenwelcomewomen.org.uk
Un regroupement international de femmes qui accueillent chez elles des voyageuses de 75 pays. Une nouvelle façon de voyager et de découvrir la culture et le quotidien des femmes du monde.
Visitez le site : www.hospitalityclub.org. C'est un moyen de voyager à moindre coût en demeurant chez des membres du club. L'inscription est gratuite.

www.hotels.ca
Un vaste choix d'hôtels à prix avantageux.
Appel sans frais : 1-800-CA-hotels.

www.hoteldiscounts.com
Obtenez jusqu'à 70 % de rabais sur les chambres d'hôtels partout au monde.

www.bonjourquebec.com
Site touristique officiel du gouvernement du Québec.
Appel sans frais : 1-877-266-5687.

www.campsfamiliaux.qc.ca
Mouvement québécois des vacances familiales.
Le répertoire des camps familiaux est aussi disponible à Info-Tourisme au 514-252-3118 et au 1-877-bonjour (266-5687).

www.montrealplus.ca
Pour connaître tout ce qui se passe à Montréal. Le réseau Plus.ca a des sites pour les grandes villes canadiennes telles que Vancouver, Edmonton, Calgary, Toronto, Ottawa et Québec. Il suffit d'ajouter le suffixe « plus.ca » au nom de la ville.

www.bedandbreakfast.com
Sites de Bed & Breakfast partout au monde, plus de 27 000 possibilités.

www.voyagecampus.com
Site de Voyages Campus. Aubaines, hyperliens et trucs pratiques.

www.tourismej.qc.ca
Site des auberges de jeunesse au Québec avec un hyperlien pour rejoindre plus de 5000 auberges réparties dans le monde.

www.executiveplanet.com
Guide de voyageurs d'affaires : l'étiquette, l'habillement, les cadeaux, les manières en public, etc., dans une trentaine de pays.

www.elderhostel.org
Elderhostel est un organisme à but non lucratif. Il est la plus grande organisation en voyage éducationnel spécialement conçue pour les adultes de 55 ans et plus. Tout est là pour organiser votre prochain programme de formation.

www.airtransat.com
Cette ligne aérienne a maintenant son Club Enfants. L'adhésion est gratuite pour les voyageurs de 2 à 11 ans. Ils reçoivent une carte de membre, un accueil V.I.P., des coupons pour des friandises et un sac à surprises.

Vos notes

Vos notes

Récapitulation

Pour réussir votre réorganisation vous devez :

- Avoir de l'enthousiasme. Lire attentivement les solutions suggérées et essayer les exercices de ce livre.
- Faire le ménage dans votre tête puis le réaliser concrètement. Identifier ce que cache votre désordre. Est-ce un manque d'organisation ou la peur de quelque chose de plus grand ? Lorsque vous aurez décidé de changer les choses, établissez clairement la raison qui motive ces changements.
- Chercher les perles cachées. Ceci rendra l'expérience positive au lieu de vous punir pour les choix établis dans le passé.
- Commencer par la pièce qui vous importe le plus. Attaquer ce qui est visible.
- Les items visibles sont les plus récents. Ils vous procureront un sentiment de contrôle immédiat sur la situation et vous inspireront pour continuer.
- Rassembler ce qui se ressemble. Chaque chose à sa place et une place pour chaque chose. Replacer toujours les objets dans leur « maison » après chaque utilisation.
- Maintenir les résultats obtenus au quotidien. C'est essentiel ! Être patient avec soi-même. On doit donner une chance aux nouvelles habitudes de s'implanter.
- Diviser chaque projet en suite d'étapes à réaliser. La planification est un outil important pour tout objectif à atteindre, qu'il soit petit ou grand.

- Appliquer le gros bon sens et votre jugement dans toutes vos décisions face à l'organisation. Sinon, consulter une organisatrice professionnelle comme l'auteur de ce livre. Elle vous donnera des idées, de l'information, une structure, des solutions ou des systèmes simples et efficaces qui augmenteront votre productivité et réduiront votre stress pour mieux vivre.

Pour prendre rendez-vous avec Linda Sauvé par courriel : organisemoi@hotmail.com.

Avant de se quitter...

Mieux s'organiser, c'est à la fois simple et complexe. Simple parce que changer sa façon de réagir peut alléger le stress, simplifier le travail et améliorer les résultats. Complexe parce qu'on est conditionné à conserver et à perpétuer nos méthodes de travail. Changer demande de la volonté, du courage et de la détermination.

Profitez de votre environnement! Était-ce pour vous un concept, un désir, un projet avant de lire ce livre? Et aujourd'hui, qu'en est-il? Est-ce que les choses que vous vouliez apprendre ou changer ont été abordées? Je l'espère, sinon consultez la liste des ouvrages recommandés ou prenez un rendez-vous avec un organisateur professionnel.

Ce livre est un départ pour un mieux-être global. Il vous donne des pistes, des trucs, des suggestions qui peuvent vous aider à profiter de votre vie. Avoir de l'ordre, ce n'est pas régimenter sa vie, c'est y voir clair.

J'espère qu'à travers ce livre, vous vous êtes arrêté. J'ai espoir qu'à travers une idée ou un truc, j'ai ouvert une plage de réflexion sur votre situation, votre vie, votre façon de vous acquitter d'une tâche.

J'avoue que j'ai eu beaucoup de plaisir à effectuer la recherche et les essais (qui ont duré environ deux ans), à prendre la plume et à mettre le tout sur papier.

Merci de m'avoir lue et de partager ce livre avec ceux qui vous sont chers.

À vous de décider ce que vous ferez de ce temps. Du temps pour pratiquer un sport, pour dormir, du temps pour vous, pour vos enfants, vos ami(e)s ou du temps pour simplement le *farniente*. C'est une des choses les plus difficiles à faire mais tellement nécessaires. Soyez heureux et en santé!

Linda Sauvé

Liste des tableaux

Lectures recommandées

BAN BREATHNACH, Sarah, *Simple Abondance, a daybook of Comfort and Joy*, Warner Books, 1995, pages non numérotées.

BECK, Martha, *Finding your North Star*, Tree Rivers Press, 2002, 365 pages.

CHILDON, David, *The Wealthy Barber*, Stoddart, 1989, 197 pages.

Collectif d'auteurs, *Pratical Problem Solver, subsitutes, shortcuts and ingenious solutions for making life easier*, Éditions Sélection du Reader's Digest, 1991, 448 pages.

CÔTÉ, Marcel, *Maître de son temps*, Éditions Transcontinental, 2000, 192 pages.

DOMINGUEZ, Joe, ROBIN, Vicki, *Votre vie ou votre argent !* Les Éditions Logiques inc., 457 pages, 1997

GLASS, Lilian, *Comment s'entourer de gens extraordinaires*, Éditions de l'Homme, 1998, 158 pages.

JACOBSON, Deborah, *Survival Jobs*,(154 façons de générer de l'argent tout en poursuivant vos rêves), Broadway Books, 1998, 240 pages.

JOHNSON, Spencer, *Qui a piqué mon fromage? Comment s'adapter au changement au travail, en famille et en amour*, Éditions Michel Lafon, 1998, 105 pages.

MARCHESIN, Bill, *Souriez, c'est lundi*, Les Éditions de l'Homme, 2001, 160 pages.

McGRAW, Nanci. *Organized for success !*, SkillPath Publications, 1995, 186 pages.

NAZARRE-AGA, Isabella, *Les manipulateurs sont parmi nous*, Les Éditions de l'Homme, 1997, 286 pages.

ORMAN, Suse, *The Courage to be Rich*, Riverhead Books, 1999, 2002, 421 pages.

PHILLIPS, Sandra, *Le Consommateur averti*, Montréal, 9e édition française, 2003, 245 pages.

RAUCH CARTER, Karen. *Move your stuff, change your life : How to use feng shui to get love, money, respect and happiness*, Simon & Schuster, 2000, 233 pages.

SAINT-LAURENT, Agnès, *1001 Trucs autour de la maison*, Éditions Sélection du Reader's Digest, 1999, 352 pages.

SCHULLER, Robert H., *Devenez la personne que vous rêvez d'être*, Un monde différent, 1980, 226 pages.

STEWART, Martha, *Good Things for organizing*, Martha Stewart Living Omnimédia, Clarkson Potter/Publishers New York, 2001, 144 pages.

WILSON SCHAEF, Anne, *Meditations for Women who do to much*, Harper San Francisco, 1990, 416 pages.

Références

ALLEN, Judy, Article : Culture Shock, Meetings and Incentives Travel Magazine, Octobre 2002.

BENDER, Peter Urs, *Gutfeeling, Instinct and Spirituality @ work*, The Achievement Group, 2002, 203 pages.

BRESLER,Lynn, CHAPMAN, Sarah, *Se soigner au naturel*, Éditions Sélection du Reader's Digest, 2000, 384 pages.

CANFIELD, Jack, HANSEN, Mark Victor, *Le pouvoir d'Aladin*, transformer vos désirs en réalité, Éditions de l'Homme, 1996, 310 pages.

CULP, Stephanie, *How to conquer clutter*, Writer's Digest Books, 1990, 181 pages.

NAHIRNY, Dianne, *Stop working, start living*, ECW Press, 2001, 257 pages.

OBOLENSKY, Kira, Garage, *Reinventing the place we park*, The Taunton Press, inc, 2001, 202 pages.

PASSOF, Michelle. *Lighten up ! Free yourself from clutter*. Harper Perennial, 1998, 195 pages.

PEARSALL, Paul, *SuperImmunity*, Fawcett Books, 1993, 304 pages.

SEIDLER, Cyndi, *Paper Management* (article), H.G. Training Academy

SHER, Barbara, SMITH, Barbara, *I would do anything if only I know what it was*, Dell Trade Paperback, 1994, 322 pages.

STANLEY, Thomas, DANKO, William, *The Millionnaire next door*, Simon & Schuster, 2000, 307 pages.